PRENTICE HALL
CIENCIA

LA HERENCIA:
el código de la vida

Anthea Maton
Ex coordinadora nacional de NSTA
Alcance, secuencia y coordinación del proyecto
Washington, DC

Jean Hopkins
Instructora de ciencias y jefa de departamento
John H. Wood Middle School
San Antonio, Texas

Susan Johnson
Profesora de biología
Ball State University
Muncie, Indiana

David LaHart
Instructor principal
Florida Solar Energy Center
Cape Canaveral, Florida

Charles William McLaughlin
Instructor de ciencias y jefe de departamento
Central High School
St. Joseph, Missouri

Maryanna Quon Warner
Instructora de ciencias
Del Dios Middle School
Escondido, California

Jill D. Wright
Profesora de educación científica
Directora de programas de área internacional
University of Pittsburgh
Pittsburgh, Pennsylvania

Prentice Hall
Englewood Cliffs, New Jersey
Needham, Massachusetts

Prentice Hall Science

Heredity: The Code of Life

Student Text and Annotated Teacher's Edition
Laboratory Manual
Teacher's Resource Package
Teacher's Desk Reference
Computer Test Bank
Teaching Transparencies
Product Testing Activities
Computer Courseware
Video and Interactive Video

The illustration on the cover, rendered by Joseph Cellini, can be used to demonstrate the concept of heredity and variation within a species.

Credits begin on page 123.

SECOND EDITION

ISBN 0-13-400490-6

1 2 3 4 5 6 7 8 9 10   97 96 95 94 93

Prentice Hall
A Division of Simon & Schuster
Englewood Cliffs, New Jersey 07632

STAFF CREDITS

Editorial:	Harry Bakalian, Pamela E. Hirschfeld, Maureen Grassi, Robert P. Letendre, Elisa Mui Eiger, Lorraine Smith-Phelan, Christine A. Caputo
Design:	AnnMarie Roselli, Carmela Pereira, Susan Walrath, Leslie Osher, Art Soares
Production:	Suse F. Bell, Joan McCulley, Elizabeth Torjussen, Christina Burghard
Photo Research:	Libby Forsyth, Emily Rose, Martha Conway
Publishing Technology:	Andrew Grey Bommarito, Deborah Jones, Monduane Harris, Michael Colucci, Gregory Myers, Cleasta Wilburn
Marketing:	Andrew Socha, Victoria Willows
Pre-Press Production:	Laura Sanderson, Kathryn Dix, Denise Herckenrath
Manufacturing:	Rhett Conklin, Gertrude Szyferblatt

Consultants

Kathy French	National Science Consultant
Jeannie Dennard	National Science Consultant

Prentice Hall Science

La herencia: el código de la vida

Student Text and Annotated Teacher's Edition
Laboratory Manual
Teacher's Resource Package
Teacher's Desk Reference
Computer Test Bank
Teaching Transparencies
Product Testing Activities
Computer Courseware
Video and Interactive Video

La ilustración de la cubierta, realizada por Joseph Cellini, sirve para demostrar el concepto de la herencia y las variaciones dentro de una especie.

Procedencia de fotos e ilustraciones, página 123.

SEGUNDA EDICIÓN

ISBN 0-13-801879-0

1 2 3 4 5 6 7 8 9 10   97 96 95 94 93

Prentice Hall
A Division of Simon & Schuster
Englewood Cliffs, New Jersey 07632

PERSONAL

Editorial:	Harry Bakalian, Pamela E. Hirschfeld, Maureen Grassi, Robert P. Letendre, Elisa Mui Eiger, Lorraine Smith-Phelan, Christine A. Caputo
Diseño:	AnnMarie Roselli, Carmela Pereira, Susan Walrath, Leslie Osher, Art Soares
Producción:	Suse F. Bell, Joan McCulley, Elizabeth Torjussen, Christina Burghard
Fotoarchivo:	Libby Forsyth, Emily Rose, Martha Conway
Tecnología editorial:	Andrew G. Black, Deborah Jones, Monduane Harris Michael Colucci, Gregory Myers, Cleasta Wilburn
Mercado:	Andrew Socha, Victoria Willows
Producción pre-imprenta:	Laura Sanderson, Kathryn Dix, Denise Herckenrath
Manufactura:	Rhett Conklin, Gertrude Szyferblatt

Asesoras

Kathy French	National Science Consultant
Jeannie Dennard	National Science Consultant

Autores contribuyentes

Linda Densman
Instructora de ciencias
Hurst, TX

Linda Grant
Ex–instructora de ciencias
Weatherford, TX

Heather Hirschfeld
Escritora de ciencias
Durham, NC

Marcia Mungenast
Escritora de ciencias
Upper Montclair, NJ

Michael Ross
Escritor de ciencias
New York City, NY

Revisores de contenido

Dan Anthony
Consejero de ciencias
Rialto, CA

John Barrow
Instructor de ciencias
Pomona, CA

Leslie Bettencourt
Instructora de ciencias
Harrisville, RI

Carol Bishop
Instructora de ciencias
Palm Desert, CA

Dan Bohan
Instructor de ciencias
Palm Desert, CA

Steve M. Carlson
Instructor de ciencias
Milwaukie, OR

Larry Flammer
Instructor de ciencias
San Jose, CA

Steve Ferguson
Instructor de ciencias
Lee's Summit, MO

Robin Lee Harris Freedman
Instructora de ciencias
Fort Bragg, CA

Edith H. Gladden
Ex-instructora de ciencias
Philadelphia, PA

Vernita Marie Graves
Instructora de ciencias
Tenafly, NJ

Jack Grube
Instructor de ciencias
San Jose, CA

Emiel Hamberlin
Instructor de ciencias
Chicago, IL

Dwight Kertzman
Instructor de ciencias
Tulsa, OK

Judy Kirschbaum
Instructora de ciencias y computadoras
Tenafly, NJ

Kenneth L. Krause
Instructor de ciencias
Milwaukie, OR

Ernest W. Kuehl, Jr.
Instructor de ciencias
Bayside, NY

Mary Grace Lopez
Instructora de ciencias
Corpus Christi, TX

Warren Maggard
Instructor de ciencias
PeWee Valley, KY

Della M. McCaughan
Instructora de ciencias
Biloxi, MS

Stanley J. Mulak
Ex–instructor de ciencias
Jensen Beach, FL

Richard Myers
Instructor de ciencias
Portland, OR

Carol Nathanson
Consejera de ciencias
Riverside, CA

Sylvia Neivert
Ex–instructora de ciencias
San Diego, CA

Jarvis VNC Pahl
Instructor de ciencias
Rialto, CA

Arlene Sackman
Instructora de ciencias
Tulare, CA

Christine Schumacher
Instructora de ciencias
Pikesville, MD

Suzanne Steinke
Instructora de ciencias
Towson, MD

Len Svinth
Jefe de Instructores de ciencias
Petaluma, CA

Elaine M. Tadros
Instructora de ciencias
Palm Desert, CA

Joyce K. Walsh
Instructora de ciencias
Midlothian, VA

Steve Weinberg
Instructor de ciencias
West Hartford, CT

Charlene West, PhD
Directora de Curriculum
Rialto, CA

John Westwater
Instructor de ciencias
Medford, MA

Glenna Wilkoff
Instructora de ciencias
Chesterfield, OH

Edee Norman Wiziecki
Instructora de ciencias
Urbana, IL

Panel asesor de profesores

Beverly Brown
Instructora de ciencias
Livonia, MI

James Burg
Instructor de ciencias
Cincinnati, OH

Karen M. Cannon
Instructora de ciencias
San Diego, CA

John Eby
Instructor de ciencias
Richmond, CA

Elsie M. Jones
Instructora de ciencias
Marietta, GA

Michael Pierre McKereghan
Instructor de ciencias
Denver, CO

Donald C. Pace, Sr.
Instructor de ciencias
Reisterstown, MD

Carlos Francisco Sainz
Instructor de ciencias
National City, CA

William Reed
Instructor de ciencias
Indianapolis, IN

Asesor multicultural

Steven J. Rakow
Professor asociado
University of Houston–
Clear Lake
Houston, TX

Asesores de Inglés como segunda lengua (ESL)

Jaime Morales
Coordinador Bilingüe
Huntington Park, CA

Pat Hollis Smith
Ex-instructora de inglés
Beaumont, TX

Asesor de lectura

Larry Swinburne
Director
Swinburne Readability
Laboratory

Revisores del texto en español

Teresa Casal
Instructora de ciencias
Miami, FL

Victoria Delgado
Directora de programas
bilingües/multiculturales
New York, NY

Delia García Menocal
Instructora bilingüe
Englewood, NJ

Consuelo Hidalgo Mondragón
Instructora de ciencias
México, D.F.

Elena Maldonado
Instructora de ciencias
Río Piedras, Puerto Rico

Estéfana Martínez
Instructora bilingüe
San Antonio, TX

Euclid Mejía
Director del departamento de ciencias y matemáticas
New York, NY

Alberto Ramírez
Instructor bilingüe
La Quinta, CA

CONTENTS

HEREDITY: THE CODE OF LIFE

CONTENIDO

LA HERENCIA: EL CÓDIGO DE LA VIDA

Activity Bank/Reference Section

Features

Pozo de actividades/Sección de referencia

Artículos

CONCEPT MAPPING

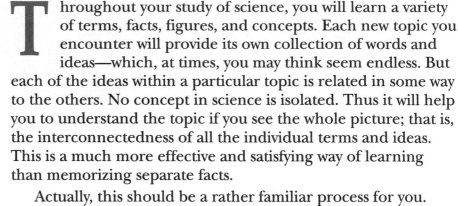

Throughout your study of science, you will learn a variety of terms, facts, figures, and concepts. Each new topic you encounter will provide its own collection of words and ideas—which, at times, you may think seem endless. But each of the ideas within a particular topic is related in some way to the others. No concept in science is isolated. Thus it will help you to understand the topic if you see the whole picture; that is, the interconnectedness of all the individual terms and ideas. This is a much more effective and satisfying way of learning than memorizing separate facts.

Actually, this should be a rather familiar process for you. Although you may not think about it in this way, you analyze many of the elements in your daily life by looking for relationships or connections. For example, when you look at a collection of flowers, you may divide them into groups: roses, carnations, and daisies. You may then associate colors with these flowers: red, pink, and white. The general topic is flowers. The subtopic is types of flowers. And the colors are specific terms that describe flowers. A topic makes more sense and is more easily understood if you understand how it is broken down into individual ideas and how these ideas are related to one another and to the entire topic.

It is often helpful to organize information visually so that you can see how it all fits together. One technique for describing related ideas is called a **concept map**. In a concept map, an idea is represented by a word or phrase enclosed in a box. There are several ideas in any concept map. A connection between two ideas is made with a line. A word or two that describes the connection is written on or near the line. The general topic is located at the top of the map. That topic is then broken down into subtopics, or more specific ideas, by branching lines. The most specific topics are located at the bottom of the map.

To construct a concept map, first identify the important ideas or key terms in the chapter or section. Do not try to include too much information. Use your judgment as to what is

really important. Write the general topic at the top of your map. Let's use an example to help illustrate this process. Suppose you decide that the key terms in a section you are reading are School, Living Things, Language Arts, Subtraction, Grammar, Mathematics, Experiments, Papers, Science, Addition, Novels. The general topic is School. Write and enclose this word in a box at the top of your map.

SCHOOL

Now choose the subtopics—Language Arts, Science, Mathematics. Figure out how they are related to the topic. Add these words to your map. Continue this procedure until you have included all the important ideas and terms. Then use lines to make the appropriate connections between ideas and terms. Don't forget to write a word or two on or near the connecting line to describe the nature of the connection.

Do not be concerned if you have to redraw your map (perhaps several times!) before you show all the important connections clearly. If, for example, you write papers for Science as well as for Language Arts, you may want to place these two subjects next to each other so that the lines do not overlap.

One more thing you should know about concept mapping: Concepts can be correctly mapped in many different ways. In fact, it is unlikely that any two people will draw identical concept maps for a complex topic. Thus there is no one correct concept map for any topic! Even though your concept map may not match those of your classmates, it will be correct as long as it shows the most important concepts and the clear relationships among them. Your concept map will also be correct if it has meaning to you and if it helps you understand the material you are reading. A concept map should be so clear that if some of the terms are erased, the missing terms could easily be filled in by following the logic of the concept map.

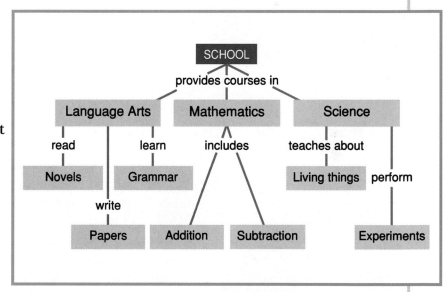

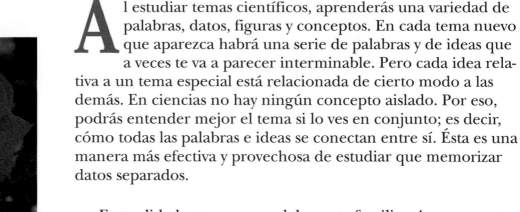

Al estudiar temas científicos, aprenderás una variedad de palabras, datos, figuras y conceptos. En cada tema nuevo que aparezca habrá una serie de palabras y de ideas que a veces te va a parecer interminable. Pero cada idea relativa a un tema especial está relacionada de cierto modo a las demás. En ciencias no hay ningún concepto aislado. Por eso, podrás entender mejor el tema si lo ves en conjunto; es decir, cómo todas las palabras e ideas se conectan entre sí. Ésta es una manera más efectiva y provechosa de estudiar que memorizar datos separados.

En realidad, este proceso debe serte familiar. Aunque no te des cuenta, analizas muchos de los elementos de la vida diaria, considerando sus relaciones o conexiones. Por ejemplo, al mirar un ramo de flores, lo puedes dividir en grupos: rosas, claveles y margaritas. Después, asocias colores con las flores: rojo, rosado y blanco. Las flores serían el tema general. El subtema, tipos de flores. Un tema tiene más sentido y se puede entender mejor si comprendes cómo se divide en ideas y cómo las ideas se relacionan entre sí y con el tema en su totalidad.

A veces es útil organizar la información visualmente para poder ver la correspondencia entre las cosas. Una de las técnicas usadas para organizar ideas relacionadas es el **mapa de conceptos**. En un mapa de conceptos, una palabra o frase recuadrada representa una idea. La conexión entre dos ideas se describe con una línea donde se escriben una o dos palabras que explican la conexión. El tema general aparece arriba de todo. El tema se divide en subtemas, o ideas más específicas, por medio de líneas. Los temas más específicos aparecen en la parte de abajo.

Para hacer un mapa de conceptos, considera primero las ideas o palabras claves más importantes de un capítulo o sección. No trates de incluir mucha información. Usa tu juicio para decidir qué es lo realmente importante. Escribe el tema general arriba

de tu mapa. Un ejemplo servirá para ilustrar el proceso. Decides que las palabras claves de una sección son Escuela, Seres vivos, Artes del lenguaje, Resta, Gramática, Matemáticas, Experimentos, Informes, Ciencia, Suma, Novelas. El tema general es Escuela. Escribe esta palabra en un recuadro arriba de todo.

ESCUELA

Ahora, elige los subtemas: Artes del lenguaje, Ciencia, Matemáticas. Piensa cómo se relacionan con el tema. Agrega estas palabras al mapa. Continúa así hasta que todas las ideas y las palabras importantes estén incluídas. Luego, usa líneas para marcar las conexiones apropiadas. No dejes de escribir en la línea de conexión una o dos palabras que expliquen la naturaleza de la conexión.

No te preocupes si debes rehacer tu mapa (tal vez muchas veces), antes de que se vean bien todas las conexiones importantes. Si, por ejemplo, escribes informes para Ciencia y para Artes del lenguaje, te puede convenir colocar estos dos temas uno al lado del otro para que las líneas no se superpongan.

Algo más que debes saber sobre los mapas de conceptos: pueden construirse de diversas maneras. Es decir, dos personas pueden hacer un mapa diferente de un mismo tema. ¡No existe un único mapa de conceptos! Aunque tu mapa no sea igual al de tus compañeros, va a estar bien si muestra claramente los conceptos más importantes y las relaciones que existen entre ellos. Tu mapa también estará bien si tú le encuentras sentido y te ayuda a entender lo que estás leyendo. Un mapa de conceptos debe ser tan claro que, aunque se borraran algunas palabras se pudieran volver a escribir fácilmente, siguiendo la lógica del mapa.

ESCUELA

ofrece cursos de

Artes del lenguaje · Matemáticas · Ciencia

lee · aprende · incluye · enseña sobre

Novelas · Gramática · Seres vivos · Realiza

escribe

Informes · Suma · Resta · Experimentos

HEREDITY

The Code of Life

A unicorn is a mythical animal with the body and head of a horse, the hind legs of a stag, the tail of a lion, and a single horn in the middle of its forehead. The unicorn was not the only mythical beast with a combination of body parts of different animals. The chimera of Greek mythology had the head of a lion, the body of a goat, and the tail of a serpent. In

◀ *The unicorn is a mythical animal that could not exist in real life. However, many other plants and animals almost as bizarre as the unicorn do live on Earth.*

This young horse has been bred to have the same long legs and strong muscles as its mother. Will it grow up to be a champion racehorse? ▼

▲ *Notice the family resemblance inherited by the children from their parents.*

ancient Egypt, the Sphinx was constructed as a winged lion with a woman's head. Do you think any of these fabulous creatures could exist in the real world?

Unfortunately, the unicorn, chimera, and Sphinx exist only in people's imaginations. In the real world, living things always resemble their parents. Horses never give birth to unicorns. In this book, you will meet the man who discovered how living things pass their characteristics on to their offspring. You will explore the complex molecule—called DNA—that makes heredity possible and also see how the principles of heredity that apply to plants and animals apply to humans as well. Finally, you will learn how scientists are beginning to use genetic engineering to produce organisms that will benefit humans in many ways—organisms almost as exotic, in their own way, as the creatures of myth.

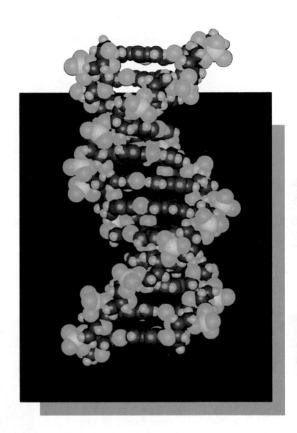

A computer–generated model of DNA is shown in this photograph. ▶

Discovery *Activity*

Variations on a Theme

Think of a particular human trait, or characteristic—such as hair color, eye color, or skin color. Look around your classroom. How many different variations of this trait do you see among your classmates? For example, how many have red hair? How many have brown hair? Record your observations in a chart or table.

■ Based on your observations, which form of the trait is most common in your classroom? Least common? Do you think there is any reason for this?

LA HERENCIA

El código de la vida

El unicornio es un animal mítico con cuerpo y cabeza de caballo, patas traseras de ciervo, cola de león y un solo cuerno en la mitad de la frente. El unicornio no era el único ser mitológico cuyo cuerpo estaba formado por partes de distintos animales. La quimera, de la mitología griega, tenía cabeza de león, cuerpo de cabra y cola de serpiente. En el antiguo Egipto, la esfinge era un león

El unicornio es un animal mítico que no existe en la vida real. Sin embargo, en la Tierra hay muchas otras plantas y animales casi tan exóticos como él.

Este potrillo tiene patas largas y músculos fuertes, como su madre. ¿Llegará a ser un caballo de carrera campeón?

Observa el parecido familiar que los hijos han heredado de sus padres.

alado con cabeza de mujer. ¿Crees tú que algunos de estos fabulosos seres podrían existir en el mundo real?

Desgraciadamente, el unicornio, la quimera y la esfinge existen sólo en la imaginación. En la vida real, los seres vivientes siempre se parecen a sus padres. De los caballos nunca nacen unicornios. En este libro conocerás al hombre que descubrió cómo los organismos vivos transmiten sus características a sus descendientes. Estudiarás una molécula compleja llamada ADN, que es la clave de la herencia, y también verás cómo los principios de la herencia que se aplican a las plantas y los animales se aplican también a los seres humanos. Por último, aprenderás cómo los científicos están comenzando a usar la ingeniería genética para producir organismos que beneficiarán a la humanidad de muchas formas, organismos casi tan extraños, a su manera, como los seres mitológicos.

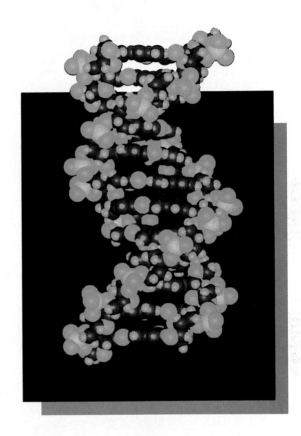

Esta fotografía muestra un modelo del ADN hecho por una computadora.

Para averiguar *Actividad*

Variaciones sobre un mismo tema

Piensa en algún rasgo o característica del ser humano, como el color del cabello, de los ojos o de la piel. Mira a tu alrededor. ¿Cuantas variaciones diferentes de este rasgo ves entre tus compañeros? Por ejemplo, ¿cuántos son pelirrojos? ¿Cuántos tienen cabello castaño? Anota tus observaciones en un gráfico o cuadro.

■ Basándote en tus observaciones, ¿cuál es el rasgo más común entre tus compañeros? ¿Cuál es el menos común? ¿A qué se debe esto?

What Is Genetics?

Guide for Reading

After you read the following sections, you will be able to

1–1 History of Genetics

■ Describe how traits are passed from one generation to another.

■ Explain the difference between dominant and recessive traits.

1–2 Principles of Genetics

■ State the law of segregation and the law of independent assortment.

■ Explain what is meant by incomplete dominance.

1–3 Genetics and Probability

■ Relate the law of probability to the study of genetics.

■ Describe how Punnett squares can be used to predict the results of genetic crosses.

Do you have a cat, or do you have a friend who has a cat? You probably know that there are many different kinds of cats. Some cats have long, soft hair and fluffy tails. Others have short, curly hair and skinny tails. There is even one kind of cat that appears to have no hair at all! Despite these, and many other, variations, you can still recognize these animals as cats. Why is this so? What makes one cat different from another and yet still recognizable as a member of the cat family? The answer can be found in the science of genetics.

The study of genetics explains why one cat is different from all other cats and also why a cat is different from a human or a maple tree. All living things, including cats, resemble their parents. But each individual also has certain unique characteristics that make it different from every other living thing on Earth. As you will learn in this chapter, the history of genetics is a fascinating story of mystery and discovery. The story begins with one man in a garden more than 100 years ago. . . .

Journal *Activity*

You and Your World Have you ever seen a litter of kittens or puppies? Did all the kittens or puppies look exactly alike? In your journal, describe how they were alike and how they were different. Do you have any idea why they look as they do?

◀ *These kittens may have different colors and markings, but they all look like cats.*

¿Qué es la genética?

¿Tienes un gato, o tienes algún amigo que tenga un gato? Seguramente sabrás que hay muchas clases diferentes de gatos. Algunos tienen pelo largo y sedoso y cola peluda. Otros tienen pelo corto y ondulado y cola delgada. ¡Hay incluso un gato que parece no tener pelo! Pese a estas y muchas otras variaciones, puedes darte cuenta que todos estos animales son gatos. ¿Por qué? ¿Qué hace que un gato sea diferente de los demás y sin embargo siga siendo un gato? Encontrarás la respuesta en la ciencia de la genética.

La genética nos explica por qué un gato es diferente de todos los demás gatos y también por qué se diferencia de los seres humanos o de los arces. Todos los seres vivientes, incluso los gatos, se parecen a sus padres. Pero cada individuo tiene ciertas características únicas que lo distinguen de todos los demás. Como aprenderás en este capítulo, la historia de la genética es un relato fascinante de misterio y descubrimiento. El relato comienza hace más de 100 años, con un hombre que trabajaba en un huerto. . . .

Diario *Actividad*

Tú y tu mundo ¿Has visto alguna vez una camada de gatitos o perritos? ¿Eran todos idénticos? En tu diario, indica en qué se parecían y en qué se diferenciaban. ¿Sabes por qué tienen el aspecto que tienen?

◀ *Estos gatitos tienen pelaje de distinto color y diferentes marcas, pero todos parecen gatos.*

1–1 History of Genetics

The history of genetics began with a monk named Gregor Mendel working in the garden of a small monastery in eastern Europe. Mendel, whose parents were Austrian peasants, was born in 1822. He entered the monastery at the age of 21 and was ordained a priest 4 years later. In 1851, Mendel was sent to the University of Vienna to study science and mathematics. After he left the university, Mendel spent the next 14 years working at the monastery and teaching at a nearby high school. In addition to teaching, Mendel also looked after the monastery garden. Here he grew hundreds of pea plants. Mendel experimented with the pea plants to see if he could find a pattern in the way certain characteristics were handed down from one generation of pea plants to the next.

Mendel chose pea plants for his experiments for several reasons. Pea plants grow and reproduce quickly. So he knew that he could study many generations of pea plants in a short time. Mendel also knew that pea plants had a variety of different characteristics, or **traits,** that could be studied at the same time. Pea plant traits include how tall the plants grow, the color of their seeds, and the shape of their seeds. Mendel could study all of these traits (as well as other traits) in the same experiment. In addition, pea plants could be crossed, or bred, easily.

The Work of Gregor Mendel

Figure 1–2 shows what the flowers of Mendel's pea plants look like. As in most flowering plants, the flowers of pea plants contain stamens, or male reproductive structures. Stamens produce pollen, which contains male sex cells, or sperm cells. The flowers also contain the female reproductive structure, called the pistil. The pistil produces the female sex cell, or egg cell. When pollen lands on top of the pistil of a flower, pollination occurs. Pollination produces seeds for the next generation of pea plants.

Usually, a pea plant pollinates itself. This type of pollination is known as self-pollination. In self-pollination, pollen from the stamen of one flower lands

Figure 1–1 *Gregor Mendel is shown in his garden studying how traits are passed on from parents to offspring. What organisms did Mendel study?*

1-1 Historia de la genética

La historia de la genética comenzó con un monje llamado Gregorio Mendel, en el huerto de un pequeño monasterio en Europa oriental. Mendel, cuyos padres eran campesinos austríacos, nació en 1822. Entró al monasterio a los 21 años y fue ordenado sacerdote 4 años más tarde. En 1851, Mendel ingresó a la Universidad de Viena para estudiar ciencias y matemáticas. Al terminar la universidad, Mendel pasó los siguientes 14 años trabajando en un monasterio y enseñando en una escuela secundaria vecina. Además de enseñar, Mendel también cuidaba el huerto del monasterio. Allí cultivó cientos de plantas de guisantes. Mendel experimentó con esas plantas para ver si podía encontrar la forma en que ciertas características se transmitieran de una generación de plantas a la siguiente.

Mendel escogió plantas de guisantes para sus experimentos por varias razones. Sabía que las plantas de guisantes crecen y se reproducen rápidamente, de modo que podía estudiar muchas generaciones de plantas en poco tiempo. También sabía que esas plantas tenían varias características diferentes, o **rasgos**, que podía estudiar al mismo tiempo. Esos rasgos incluyen la altura de las plantas y el color y la forma de las semillas. Mendel podía estudiar todos esos rasgos (y otros más) en el mismo experimento. Además, las plantas de guisantes podían cruzarse fácilmente.

Figura 1–1 *Gregorio Mendel aparece aquí en su huerto, estudiando la forma en que los padres transmiten sus características a sus hijos. ¿Qué organismos estudió Mendel?*

Los experimentos de Gregorio Mendel

La figura 1–2 muestra cómo son las flores de las plantas de guisantes de Mendel. Como en la mayoría de las plantas que florecen, las flores de las plantas de guisantes tienen estambres, u órganos reproductores masculinos. Los estambres producen polen, que contienen las células sexuales masculinas, o espermatozoides. Las flores también contienen el órgano reproductor femenino, llamado pistilo. El pistilo produce la célula sexual femenina, llamada óvulo. Cuando el polen cae sobre el pistilo de una flor, se produce la polinización. Se forman así semillas para la próxima generación de plantas de guisantes.

En general, la planta de guisantes se poliniza a sí misma. Este proceso se llama autopolinización. En este proceso, el polen del estambre de una flor cae sobre el

Pistils

Stamens

Seed inside pistil

Seed in soil

Growing seed

New pea plant

Figure 1–2 *Stamens produce pollen, which contains sperm cells. The pistil produces eggs. As a result of pollination, fertilized eggs develop into seeds. When planted, a seed grows into a new pea plant.*

on the pistil of the same flower or on the pistil of a different flower on the same plant. But Mendel found that he could transfer pollen from the stamen of one flower to the pistil of another flower on a different plant. This type of pollination is known as cross-pollination. By using cross-pollination, Mendel was able to cross pea plants with different traits.

Although Mendel did not realize it at the time, his experiments would come to be considered the

Activity Bank

Tulips Are Better Than One, p. 104

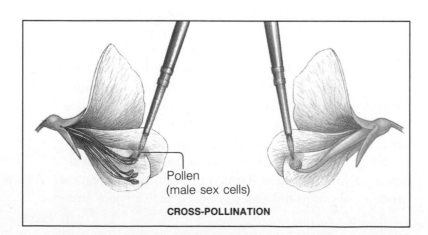

Pollen (male sex cells)

CROSS-POLLINATION

Figure 1–3 *The pollen from one flower is transferred to the pistil of another flower on a different pea plant. What is this process called?*

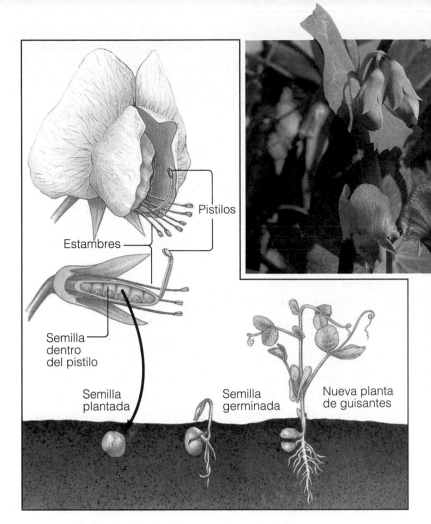

Pistilos

Estambres

Semilla dentro del pistilo

Semilla plantada

Semilla germinada

Nueva planta de guisantes

Figura 1–2 *Los estambres producen polen, que contienen espermatozoides. El pistilo produce óvulos. Como resultado de la polinización, los óvulos fecundados se convierten en semillas. Si se planta una semilla, crece una nueva planta de guisantes.*

Pozo de actividades

Un par de tulipanes, p. 104

pistilo de esa misma flor o sobre el pistilo de otra flor de la misma planta. Pero Mendel descubrió que podía transferir polen del estambre de una flor al pistilo de la flor de otra planta. Este tipo de polinización se llama polinización cruzada. Gracias a la polinización cruzada, Mendel pudo cruzar plantas de guisantes con rasgos distintos.

Aunque Mendel no se dio cuenta en ese momento, sus experimentos marcarían el comienzo de la ciencia

Polen (células sexuales masculinas)

POLINIZACIÓN CRUZADA

Figura 1–3 *El polen de una flor se transfiere al pistilo de la flor de otra planta de guisantes. ¿Cómo se llama este proceso?*

ACTIVITY

WRITING

Genetic Scientists

You may be interested in finding out more about some of the people listed below. They are all scientists who have contributed to the study of genetics and heredity. The library has many resources to help you find out about these people and their work. Choose one of these people and find out what she or he discovered about heredity and genetics. Present your findings in a report.

Rosalind Franklin
James D. Watson
Martha Chase
Jacques Monod
Barbara McClintock

beginning of the science of **genetics** (juh-NEHT-ihks). For this reason, Mendel is called the Father of Genetics. **Genetics is the study of heredity, or the passing on of traits from an organism to its offspring.**

Mendel's Experiments

Mendel began his experiments by first crossing two short pea plants (pea plants with short stems). He discovered that when he planted the seeds from these pea plants with short stems, only short-stemmed plants grew. In other words, members of the next generation of short-stemmed plants were also short-stemmed. This result was what he, and everyone else at that time, expected. New generations of plants always resembled the parent plants. Mendel called these short plants true-breeding plants. By true-breeding plants, Mendel meant those plants that always produce offspring with the same traits as the parents.

In the experiments that followed, Mendel tried crossing two tall pea plants (pea plants with long stems). He wondered if the tall pea plants would also be true-breeding. To his surprise, he found that tall pea plants would not always be true-breeding. Some tall pea plants produced all tall plants. However, other tall pea plants produced mostly tall and some short pea plants. This result was different from the cross between the short pea plants, which produced only short plants. Although he could not explain his results at the time, Mendel realized that there must

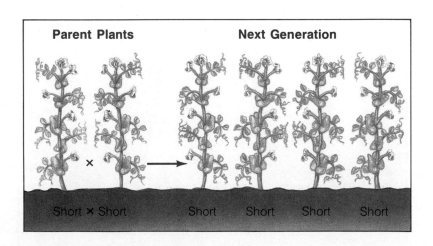

Figure 1–4 *In Mendel's first experiment with pea plants, crossing two short plants resulted in offspring that were all short as well. What did Mendel call these short plants?*

ACTIVIDAD

PARA ESCRIBIR

Genetistas

Tal vez te interese saber quiénes son las personas cuyos nombres aparecen más abajo. Son todos hombres y mujeres de ciencia que han contribuido al estudio de la genética y la herencia. En la biblioteca encontrarás mucha información sobre estas personas y sobre lo que han hecho. Elige una, averigua qué descubrió sobre la herencia y la genética y prepara un informe.

Rosalind Franklin
James D. Watson
Martha Chase
Jacques Monod
Barbara McClintock

de la **genética**. Por esta razón, se ha llamado a Mendel el padre de la genética. **La genética es el estudio de la herencia o la transmisión de rasgos de un organismo a sus descendientes.**

Los experimentos de Mendel

Mendel comenzó sus experimentos cruzando primero dos plantas de guisantes enanas (plantas de tallo corto). Descubrió que cuando plantaba las semillas de estas plantas de guisantes de tallo corto, las nuevas plantas también eran enanas. En otras palabras, los miembros de la generación siguiente de plantas de tallo corto también tenían tallo corto. Éste era el resultado que tanto él como todo el mundo esperaba en esa época. Las nuevas generaciones de plantas siempre se parecían a las plantas progenitoras. Mendel llamó a estas plantas enanas plantas puras. Para Mendel, las plantas puras eran las que siempre producían descendientes con los mismos rasgos que las plantas progenitoras.

En los experimentos siguientes, Mendel trató de cruzar dos plantas altas de guisantes (plantas de tallo largo). Quería saber si las plantas de tallo largo también serían plantas puras. Mucho le sorprendió comprobar que no todas las plantas de tallo largo eran siempre plantas puras. Algunas plantas altas producían plantas que eran todas altas. Sin embargo, otras producían en su mayoría plantas altas pero también algunas plantas enanas. Este resultado era diferente del resultado del cruzamiento de plantas enanas, del que se obtenían sólo plantas enanas. Aunque no pudo explicar entonces esos resultados, Mendel se dio cuenta de que debía

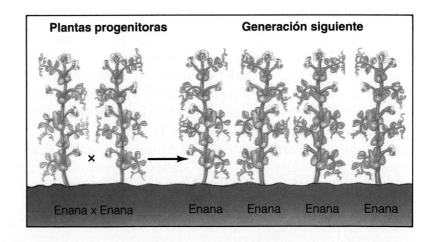

Figura 1–4 *En su primer experimento con plantas de guisantes, Mendel cruzó dos plantas enanas y obtuvo plantas que también eran enanas. ¿Cómo llamó a estas plantas?*

Plantas progenitoras   Generación siguiente

Enana x Enana   Enana   Enana   Enana   Enana

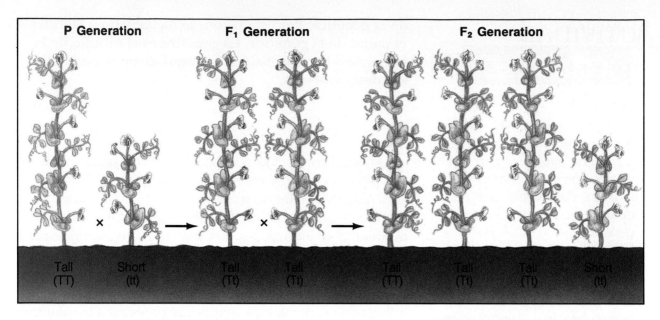

P Generation		F₁ Generation		F₂ Generation			
Tall (TT)	Short (tt)	Tall (Tt)	Tall (Tt)	Tall (TT)	Tall (Tt)	Tall (Tt)	Short (tt)

be two kinds of tall pea plants: true-breeding plants and plants that did not breed true.

Mendel then wondered what would happen if he took pollen from a plant that produced only tall plants (a true-breeding plant) and dusted it onto the pistil of a short plant (another true-breeding plant). To identify the different generations of plants, Mendel gave them different names. He called the first two parent plants the parental generation, or P generation. He called the offspring of the P generation the first filial (FIHL-ee-uhl) generation, or F_1 generation. (The word filial comes from the Latin word *filius,* which means son.) Mendel discovered that all of the plants in the F_1 generation were tall. There were no short plants at all! It was as if the trait for shortness from one of the parent plants had disappeared completely. Mendel could not explain these results either.

What happened next was even more of a mystery. Mendel covered the tall plants of the F_1 generation and allowed them to self-pollinate. That is, the pollen of a flower was allowed to fall onto the pistil of the same flower. Mendel expected that the tall plants would again produce only tall plants. But once again he was surprised. Mendel discovered that some of the plants in what he called the second filial generation, or F_2 generation, were tall and some were short. The trait for shortness seemed to have reappeared! How could this have happened?

Figure 1–5 *Mendel crossed tall and short pea plants. He discovered that the offspring in the first generation were all tall. What kind of plants were produced in the second generation?*

ACTIVITY

DISCOVERING

How Do You Measure Up?

1. Choose a partner. Measure each other's height to the nearest centimeter. Record your measurements.

2. On the chalkboard, compile a list showing the height of each student in your class.

3. Make a bar graph showing the number of students for each recorded height measurement.

■ Based on your graph, do you think height in humans is determined in the same way as stem length in pea plants? Give reasons for your answer.

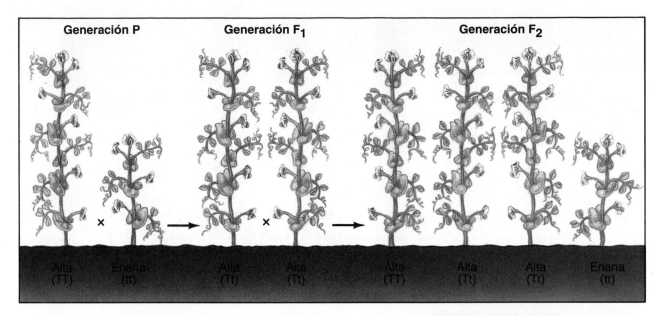

Generación P	Generación F₁	Generación F₂

Alta (TT)   Enana (tt)   Alta (Tt)   Alta (Tt)   Alta (TT)   Alta (Tt)   Alta (Tt)   Enana (tt)

Figura 1–5 *Mendel cruzó plantas de guisantes altas y enanas. Descubrió que los descendientes de la primera generación eran todos plantas altas. ¿Qué clase de plantas obtuvo en la segunda generación?*

haber dos clases de plantas de guisantes de tallo largo: plantas puras y plantas que no lo eran.

Mendel quiso averiguar entonces qué ocurriría si tomaba el polen de una planta que producía sólo plantas altas (plantas puras) y lo espolvoreaba sobre el pistilo de una planta enana (otra planta pura). Para distinguir las distintas generaciones de plantas, Mendel les dio nombres diferentes. Llamó a las dos primeras plantas generación progenitora, o generación P, y a la descendencia de la generación P le puso el nombre de primera generación filial, o generación F₁ (la palabra filial viene de la palabra latina *filius*, que significa hijo). Mendel descubrió que todas las plantas de la generación F₁ eran altas. ¡No había ninguna planta de tallo corto en esta generación! Parecía que el carácter del enanismo de una de las plantas progenitoras había desaparecido por completo. Mendel tampoco pudo explicar estos resultados.

Lo que ocurrió después resultó aun más misterioso. Mendel cubrió las plantas altas de la generación F₁ y dejó que se autopolinizaran. Es decir, dejó que el polen de cada flor cayera sobre el pistilo de esa misma flor. Mendel pensó que todas las plantas altas producirían otra vez sólo plantas altas. Pero nuevamente tuvo una sorpresa. Mendel descubrió que en la que él había llamado segunda generación filial, o generación F₂, algunas de las plantas eran altas y otras enanas. ¡Aparentemente, el rasgo del enanismo había reaparecido! ¿Cómo había sucedido esto?

ACTIVIDAD

PARA AVERIGUAR

¿Estás a la altura de tus compañeros(as)?

1. Elige a un compañero(a). Mide tu altura y la suya y redondea el resultado al centímetro. Anota los resultados.

2. En el pizarrón, anota la altura de cada uno de los estudiantes de la clase.

3. Prepara un gráfico de barras que indique el número de estudiantes que tienen cada una de las alturas anotadas.

■ Basándote en este gráfico, ¿piensas que la altura en los seres humanos se determina de la misma manera que el largo del tallo en las plantas de guisantes? Explica por qué.

Figure 1–6 *To Mendel's surprise, when he crossed two tall pea plants from the F₁ generation, the trait of shortness reappeared in the F₂ generation. Why did the shortness trait reappear?*

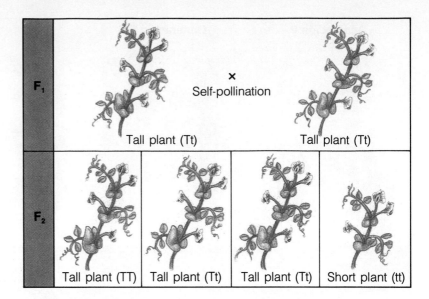

F₁	Tall plant (Tt) × Self-pollination Tall plant (Tt)

F₂	Tall plant (TT)	Tall plant (Tt)	Tall plant (Tt)	Short plant (tt)

ACTIVITY

DISCOVERING

Observing Traits

Visit a garden center or greenhouse. Take a notebook and a pencil to record your observations.

1. Choose one type of flowering plant to observe, such as petunias, marigolds, or chrysanthemums.

2. To observe the genetic traits of the flowering plant you chose, you must observe 10 of these plants. Look closely at each of the plants.

3. Note common and uncommon traits among the plants, such as the shape of the leaves or the color of the flower petals.

What common traits did you observe on most of the plants?

What uncommon traits did you see on one or more of the plants but not on most of them?

■ How can you determine which traits are dominant?

From the careful records he kept of all his experiments, Mendel made several important discoveries. He observed that the tall plants of the F₁ generation did not breed true. So he reasoned that these plants had to contain factors for both tallness and shortness. When both factors were present in a plant, only tallness showed. These factors, which Mendel called "characters," are now called **genes.** Genes are the units of heredity.

Dominant and Recessive Traits

From his observations, Mendel also concluded that when he crossed two true-breeding plants with opposite traits (tallness and shortness, for example), the offspring plants showed only one of the traits (tallness). That trait seemed to be "stronger" than the other trait (shortness). The stronger trait is called the **dominant** trait. The "weaker" trait, or the trait that seemed to disappear, is called the **recessive** trait.

Geneticists—scientists who study heredity—use symbols to represent the different forms of a gene. A dominant form is represented by a capital letter. For example, the gene form for tallness in pea plants is T. A recessive form is represented by a small, or lowercase, letter. Thus, shortness is t. Every organism has two forms of the gene for each trait. So the symbol for a true-breeding tall plant is TT. The symbol for a true-breeding short plant is tt.

Figura 1–6 *Con gran sorpresa, Mendel descubrió que al cruzar dos plantas de guisantes altas de la generación F₁, el rasgo del enanismo reaparecía en la generación F₂. ¿Por qué reapareció este rasgo?*

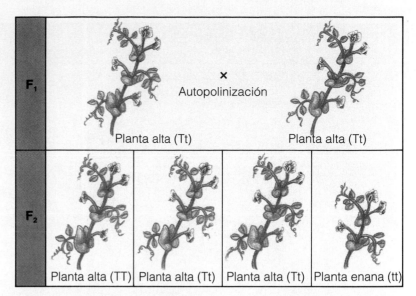

F₁	× Autopolinización
	Planta alta (Tt) Planta alta (Tt)
F₂	Planta alta (TT) │ Planta alta (Tt) │ Planta alta (Tt) │ Planta enana (tt)

Basándose en los resultados de todos sus experimentos, que había apuntado cuidadosamente, Mendel hizo varios descubrimientos importantes. Observó que las plantas altas de la generación F₁ no eran plantas puras. Dedujo entonces que esas plantas debían contener factores para ser tanto altas como enanas. Cuando ambos factores estaban presentes en una planta, sólo se manifestaba el factor de la altura. Esos factores, a los que Mendel llamó "caracteres," se llaman ahora **genes**. Los genes son las unidades de la herencia.

Caracteres dominantes y recesivos

Basándose en sus observaciones, Mendel llegó también a la conclusión de que cuando cruzaba dos plantas de casta pura que tenían rasgos opuestos (tallo alto y tallo enano, por ejemplo), las plantas descendientes tenían sólo uno de esos rasgos (tallo alto). Ese rasgo parecía ser "más fuerte" que el otro (tallo enano). El rasgo más fuerte se llama rasgo **dominante**. El rasgo "más débil," o el que aparentemente desaparece, se llama rasgo **recesivo**.

Los genetistas, es decir, los científicos que estudian la herencia, usan símbolos para representar las distintas variaciones de los genes. Los genes dominantes se representan con letras mayúsculas. Por ejemplo, el gen de la altura en las plantas de guisantes se representa con la letra T. Los genes recesivos se representan con letras minúsculas. Por ejemplo, el enanismo se representa con la letra t. Cada organismo tiene dos genes para cada rasgo. Así pues, el símbolo de una planta pura alta es TT. El símbolo de una planta pura enana es tt.

ACTIVITY

DOING

Dominant and Recessive Traits

1. Obtain two coins.

2. Cut four small, equal-sized pieces of masking tape to fit on the coins without overlapping the edges.

3. Place a piece of tape on each side of both coins.

4. Write a capital letter T on one side of each coin and a lowercase letter t on the other side.

5. Toss both coins together 100 times. Record the letters of the genetic makeup for each toss of the coins.

What are the possible gene combinations? What is the percentage of each?

1–1 Section Review

1. What is genetics?
2. Compare dominant and recessive traits.

Critical Thinking—*Making Inferences*
3. When Mendel crossed pea plants that produced only round seeds with plants that produced only wrinkled seeds, all the plants in the F_1 generation produced round seeds. However, in the F_2 generation some plants produced wrinkled seeds. Which trait—round seeds or wrinkled seeds—is dominant? Which is recessive? Explain your answers.

Figura 1–7 *Todos los organismos, tienen rasgos dominantes y recesivos. ¿Cómo describirías los rasgos de cada conejo?*

ACTIVIDAD

PARA HACER

Rasgos dominantes y recesivos

1. Consigue dos monedas.

2. Corta cuatro trozos de cinta adhesiva del mismo tamaño para pegar en las caras de las monedas sin cubrir los bordes.

3. Pega un trozo de cinta adhesiva en cada una de las caras de ambas monedas.

4. Escribe la letra mayúscula T en una de las caras de cada moneda, y la letra minúscula t en la otra cara.

5. Tira al aire ambas monedas juntas 100 veces. Anota las letras de la combinación de genes que obtengas cada vez.

¿Cuántas son las combinaciones genéticas posibles? ¿y el porcentaje de cada una?

1–1 Repaso de la sección

1. ¿Qué es la genética?

2. Compara los rasgos dominantes y recesivos.

Pensamiento crítico—*Hacer deducciones*

3. Cuando Mendel cruzó plantas de guisantes de semilla lisa con plantas que producían solamente semillas rugosas, todas las plantas de la generación F_1 produjeron semillas lisas. Sin embargo, en la generación F_2, algunas plantas produjeron semillas rugosas. ¿Qué rasgo—el de las semillas lisas o el de las semillas rugosas—es el dominante? ¿Cuál es el recesivo? Explica por qué.

CONNECTIONS

Breeding the Purr-fect Cat

Did you know that cats are now more popular than dogs as pets in the United States? Many people adopt homeless cats from animal shelters, and others prefer to buy purebred cats from cat breeders. Two of the most popular kinds of purebred cats are Siamese cats and Persian cats. Both of these breeds are very old. Siamese cats have long, thin bodies. They are short-haired, with dark markings on the face, feet, and tail. Persian cats are long-haired, with short, stocky bodies.

In the 1930s, these two breeds were combined in a series of genetics experiments carried out by scientists at Harvard Medical School. The scientists were trying to find out how certain traits in cats are inherited. The result of their work was a new, artificial breed of cat called the Himalayan. The first Himalayan cat was born in 1935. The kitten had long hair like a Persian and the markings of a Siamese.

After the birth of the first Himalayan kitten, professional cat breeders took over. In the 1960s, Himalayans were recognized by groups, such as the Cat Fanciers Association (CFA), that sponsor major cat shows in the United States. Owners of Himalayan cats can thank Gregor Mendel for their pets. Without the science of genetics, which Mendel helped establish, these beautiful cats might never have existed.

Persian cats (left)
Himalayan cat (center)
Siamese cat (right)

CONEXIONES

Un felino muy fino

¿Sabías que ahora en los Estados Unidos los gatos son más populares que los perros? Muchas personas adoptan gatos abandonados que van a parar a los refugios de animales; otras prefieren comprar gatos de raza pura directamente de los criadores. Dos de las clases más populares de gatos de pura raza son los siameses y los persas. Ambas razas existen desde hace mucho tiempo. Los gatos siameses son esbeltos y delgados y tienen pelo corto y manchas oscuras en la cara o el hocico, las patas y la cola. Los gatos persas son más corpulentos y tienen pelo largo.

En los años treinta, los científicos de la Facultad de Medicina de Harvard hicieron una serie de experimentos genéticos para combinar estas dos razas. Querían averiguar cómo here-dan los gatos ciertos rasgos. El resultado de esos experimentos fue una nueva raza artificial llamada gato del Himalaya. El primero de estos gatos nació en 1935. Tenía pelo largo como un gato persa y manchas oscuras como un gato siamés.

Después del nacimiento del primer gato del Himalaya, los criadores profesionales decidieron intervenir. En los años sesenta, los gatos del Himalaya fueron reconocidos por organizaciones que patrocinan exposiciones importantes de gatos en los Estados Unidos, como la Cat Fanciers Association (CFA). Los dueños de estos gatos deben agradecer a Gregorio Mendel. Sin la ciencia de la genética, que Mendel ayudó a fundar, estos hermosos gatos tal vez nunca habrían existido.

Gatos persas (izquierda)
Gato del Himalaya (centro)
Gato siamés (derecha)

1-2 Principles of Genetics

As you read in the previous section, one of the reasons Mendel chose pea plants for his experiments was that they showed a variety of different traits that could be studied at the same time. So in addition to height, or stem length, Mendel also studied seed shape, seed color, seed coat color, pod shape, pod color, and flower position. These traits are illustrated in Figure 1-8. For every trait studied, the results were always the same: Crossing two true-breeding plants with opposite traits did not result in a mixture of the traits. Only one of the traits—the dominant one—appeared in the offspring. But in the next generation, the trait that seemed to disappear—the recessive one—reappeared.

As an example, let's examine a cross between a plant with yellow seeds (YY) and a plant with green seeds (yy). The seeds that are produced in the F_1 generation are all yellow, not a mixture of green and yellow. Why? The gene for yellow seeds, Y, is dominant. It masks, or hides, the recessive gene for green seeds, y. Therefore, all the seeds are yellow. What happens when a plant from the F_1 generation pollinates itself? In this case, most of the seeds are

Figure 1-8 *The chart shows the seven characteristics that Mendel studied in pea plants. Each characteristic has a dominant gene and a recessive gene. Which seed color is dominant in pea plants?*

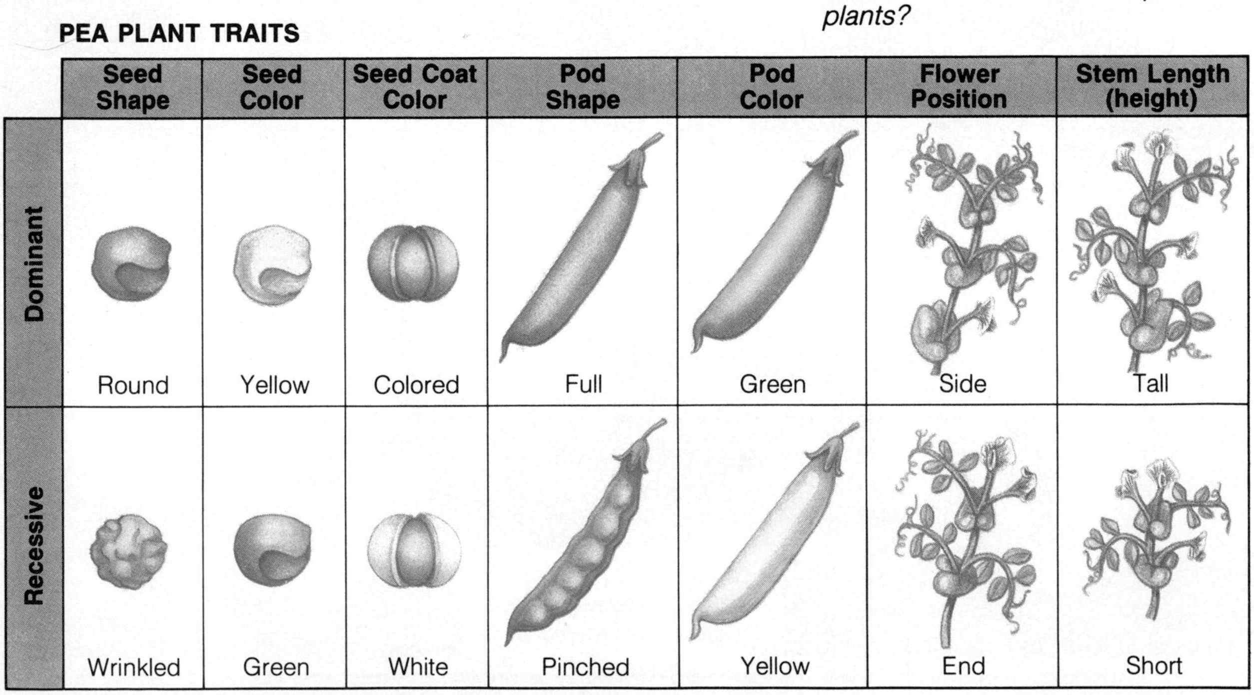

PEA PLANT TRAITS

	Seed Shape	Seed Color	Seed Coat Color	Pod Shape	Pod Color	Flower Position	Stem Length (height)
Dominant	Round	Yellow	Colored	Full	Green	Side	Tall
Recessive	Wrinkled	Green	White	Pinched	Yellow	End	Short

1–2 Principios de la genética

Como has leído en la sección anterior, Mendel eligió plantas de guisantes para sus experimentos porque poseían varios rasgos diferentes que podía estudiar al mismo tiempo. De modo que, además de la altura, o el largo del tallo, Mendel también estudió la forma y el color de la semilla, el color de la cáscara de la semilla, la forma y el color de la vaina y la posición de las flores. Estos rasgos aparecen en la figura 1–8. Los resultados eran siempre los mismos: si cruzaba dos plantas puras y rasgos opuestos, no obtenía una combinación de rasgos. Sólo uno de ellos, el dominante, aparecía en los descendientes. Pero en la generación siguiente, el rasgos que aparentemente desaparecía (el recesivo) volvía a manifestarse.

Como ejemplo, examinemos el cruzamiento de una planta de semillas amarillas (YY) y una de semillas verdes (yy). Las semillas producidas en la generación F_1 son todas amarillas, y no una mezcla de verdes y amarillas. ¿Por qué? El gen de las semillas amarillas (Y) es el dominante y oculta el gen recesivo de las semillas verdes (y). Por lo tanto,todas las semillas son amarillas. ¿Qué ocurre cuando una planta de la generación F_1 se autopoliniza? En este caso, la mayoría de las semillas son amarillas, pero algunas son

Guía para la lectura

Piensa en esta pregunta mientras lees.

▶ *¿Cuáles son seis principios básicos de la genética?*

Figura 1–8 *La ilustración muestra las siete características que Mendel estudió en las plantas de guisantes. Cada una tiene un gene dominante y otro recesivo. ¿Cuál es el color de la semilla dominante en las plantas de guisantes?*

RASGOS DE LAS PLANTAS DE GUISANTES

	Forma de la semilla	Color de la semilla	Color de la cáscara	Forma de la vaina	Color de la vaina	Posición de las flores	Largo del tallo (altura)
Dominante	Redonda	Amarilla	Coloreada	Abultada	Verde	Lateral	Alto
Recesivo	Rugosa	Verde	Blanca	Encogida	Amarilla	Final	Enano

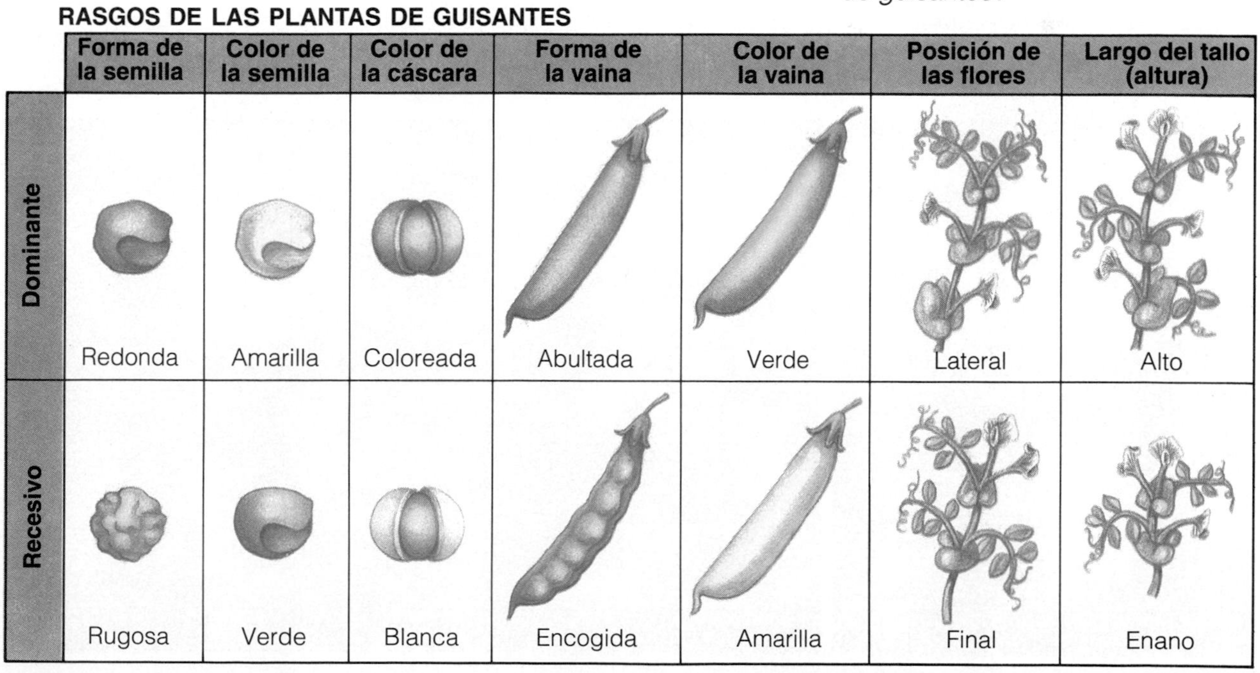

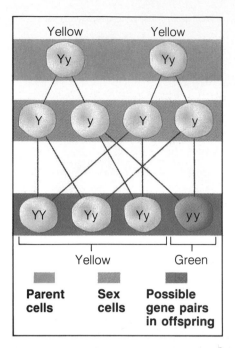

Yellow   Yellow

Yy   Yy

Y   y   Y   y

YY   Yy   Yy   yy

Yellow   Green

Parent   Sex   Possible
cells   cells   gene pairs
                  in offspring

Figure 1–9 *Mendel discovered that a pea plant with green seeds can develop from a cross between parents with yellow seeds. How does this happen?*

Figure 1–10 *These colorful zinnias (left) and lovely purple petunias and rose-colored vincas (right) are hybrids that were produced by plant breeders.*

yellow, but some are green. The recessive gene for green seeds reappears in the F_2 generation.

An organism that has genes that are alike for a particular trait, such as YY or yy, is called a pure-bred. An organism that has genes that are different for a trait, such as Yy, is called a **hybrid** (HIGH-brihd). The plants with yellow seeds in Mendel's F_1 generation were hybrid plants (Yy). They were produced by crossing two purebred plants with opposite traits (YY and yy). Many of the plants advertised in seed catalogs are hybrids that were developed by plant breeders. You will learn more about plant and animal hybrids in Chapter 4.

Laws of Genetics

After performing hundreds of experiments and analyzing his observations, Mendel formed a hypothesis about how traits were passed on from one generation of pea plants to another. (Remember, a hypothesis is a suggested explanation for a scientific problem.) Mendel's hypothesis was that each pea plant had a pair of factors, or genes, for each trait. Each parent pea plant could contribute only one gene of each pair to each plant in the next generation. In that way, each plant in the next generation also had a pair of genes for each trait, one from each parent.

Now Mendel could account for the fact that a pea plant with green seeds can develop from a cross

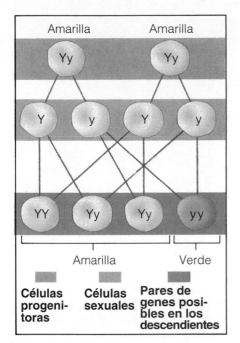

Figura 1–9 *Mendel descubrió que una planta de guisantes de semillas verdes puede ser obtenida del cruzamiento de dos plantas progenitoras de semillas amarillas. ¿Por qué?*

Figura 1–10 *Estas zinnias tan coloridas (izquierda), estas bellas petunias de color morado y estas vincas rosadas (derecha) son plantas híbridas producidas por criadores de plantas.*

verdes. El gene recesivo de las semillas verdes reaparece en la generación F_2.

Un organismo que tiene los mismos genes para un rasgo determinado, como, por ejemplo, YY o yy, se llama organismo puro, o de raza pura. Un organismo que tiene genes diferentes para un rasgo dado, como Yy, se llama **híbrido**. Las plantas de semillas amarillas de la generación F_1 de Mendel eran plantas híbridas (Yy). Se obtuvieron cruzando dos plantas puras que tenían rasgos opuestos (YY y yy). Muchas de las plantas que aparecen en los catálogos de semillas son plantas híbridas producidas por criadores de plantas. En el capítulo 4 encontrarás más información sobre plantas y animales híbridos.

Leyes de la genética

Después de realizar cientos de experimentos y de analizar sus observaciones, Mendel formuló una hipótesis sobre cómo se transmiten los rasgos de una generación de plantas de guisantes a la siguiente. (Recuerda que una hipótesis es una posible explicación de un problema científico.) Según la hipótesis de Mendel, cada planta de guisantes tenía un par de factores, o genes, para cada rasgo. Cada planta progenitora sólo podía transmitir un gen de cada par a cada una de las plantas de la generación siguiente. Así, cada planta de la generación siguiente también tenía un par de genes para cada rasgo, es decir, había heredado un gen de cada planta progenitora.

Mendel pudo explicar así cómo había obtenido una planta de guisantes de semillas verdes del cruzamiento de

between parents with yellow seeds. The factor, or gene, for the green color must be present but hidden in the parents. For example, a parent with Yy genes would have yellow seeds because the dominant gene (Y) was present. But that parent would also be carrying the recessive gene (y) for green seeds. The green seed trait would be hidden in the parent but could be passed to its offspring.

When the parent plant forms sex cells (sperm or eggs), the parent's gene pairs segregate, or separate. This process is known as the law of segregation. According to the law of segregation, one gene from each pair goes to each sex cell. Half of the sex cells of a hybrid pea plant with the gene pair Yy have a gene for yellow seeds (Y). The other half of the sex cells carry a gene for green seeds (y). As a result of sexual reproduction, a male sex cell (sperm) and a female sex cell (egg) unite to form a fertilized egg. Each fertilized egg contains one gene for seed color from each parent, so the gene pair for seed color is formed again.

Mendel also crossed pea plants that differed from one another by two or more traits. The results of these crosses led to the law of independent assortment. The law of independent assortment states that each gene pair for a trait is inherited independently of the gene pairs for all other traits. For example, when a tall plant with yellow seeds forms sex cells, the genes for stem length separate independently from the genes for seed color.

Figure 1–11 *The diagram illustrates the law of segregation, describing how one of the parent's genes goes to each sex cell. Notice how the baby rhinoceros and the sheepdog puppies resemble their parents. Why do organisms resemble their parents?*

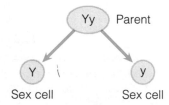

LAW OF SEGREGATION

plantas progenitoras de semillas amarillas. El factor, o gene, del color verde debía estar presente, pero oculto, en las plantas progenitoras. Por ejemplo, una planta progenitora con genes Yy tendría semillas amarillas porque estaba presente el gene dominante (Y). Pero esta planta también tendría el gene recesivo (y) de las semillas verdes. Este rasgo estaría oculto en la planta progenitora pero se transmitiría a la descendencia.

Cuando la planta progenitora forma células sexuales (espermatozoides u óvulos), los pares de genes de esa planta se segregan o separan. Esto se debe a la llamada ley de segregación. Según esta ley, cada célula sexual recibe un gene de cada par. La mitad de las células sexuales de una planta híbrida que posee el par de genes Yy tiene un gene para las semillas amarillas (Y). La otra mitad de las células sexuales es portadora del gene de las semillas verdes (y). Como resultado de la reproducción sexual, la célula sexual masculina (espermatozoide) y la célula sexual femenina (óvulo) se unen para formar un óvulo fecundado. Cada óvulo fecundado contiene un gene para el color de la semilla de cada progenitor, de modo que nuevamente se forma el par de genes para el color de las semillas.

Mendel también cruzó plantas que tenían dos o más rasgos diferentes. El resultado de estos cruzamientos le llevó a formular la ley de distribución independiente. Esta ley dice que cada uno de los pares de genes para un rasgos determinado se hereda independientemente de los pares de genes relativos a todos los demás rasgos. Cuando una planta alta de semillas amarillas forma células sexuales, los genes para la longitud del tallo se separan de los genes para el color de las semillas.

Figura 1–11 *Este diagrama sobre la ley de la segregación muestra la forma en que cada célula sexual recibe uno de los genes de la planta progenitora. Observa cómo la cría de rinocerontes y los cachorros de perro ovejero se parecen a sus padres. ¿Por qué los descendientes se parecen a sus progenitores?*

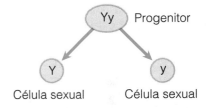

LEY DE SEGREGACIÓN

INCOMPLETE DOMINANCE

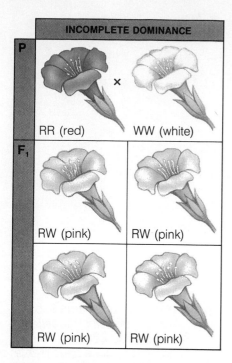

P RR (red) × WW (white)

F₁ RW (pink) RW (pink)

RW (pink) RW (pink)

Figure 1–12 *In four-o'clock flowers, neither the red gene nor the white gene for flower color is dominant. When these two genes are present in the same plant, a pink flower results. What kind of inheritance does this show?*

Figure 1–13 *Traits—such as the color, markings, tail length, and fur length in these cats—are passed on from one generation of organisms to the next.*

Incomplete Dominance

Mendel's idea that genes are always dominant or always recessive proved to be true in most cases but not all. In 1900, the German botanist Karl Correns made an important discovery. Correns found that in some gene pairs, the genes are neither dominant nor recessive. Instead, these genes show **incomplete dominance.** Incomplete dominance means that neither gene in a gene pair masks the other. As a result, the traits carried by the two genes appear to be blended.

Correns did much of his work with a type of plant called a four-o'clock, shown in Figure 1–12. He discovered that when he crossed purebred red four-o'clock flowers (RR) with purebred white four-o'clock flowers (WW), the result was all pink four-o'clock flowers (RW). Neither the gene for red color nor the gene for white color was dominant. Neither gene in the gene pair was masked. Instead, the two traits for flower color, red and white, seemed to have blended together. This blending resulted in pink flowers. Notice that in the case of incomplete dominance, the symbols for the gene pairs for red flowers, white flowers, and pink flowers are all capital letters. This is because neither the gene for red flowers nor the gene for white flowers is dominant over the other.

Incomplete dominance also occurs in animals. One of the most famous examples of this is seen in the beautiful horses known as palominos. Palominos are pale golden-brown with a white mane and tail. If

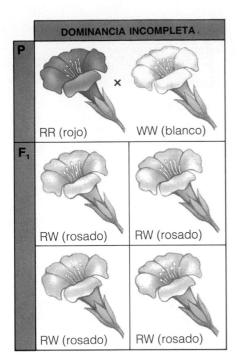

DOMINANCIA INCOMPLETA

P

RR (rojo)   ×   WW (blanco)

F₁

RW (rosado)   RW (rosado)

RW (rosado)   RW (rosado)

Figura 1–12 *En estas flores de arrebolera, ni el gene rojo ni el gene blanco para el color de las flores es el dominante. Cuando estos dos genes están presentes en la misma planta, las flores resultantes son rosadas. ¿Qué clase de herencia es ésta?*

Figura 1–13 *Los rasgos como el color, las manchas y el largo de la cola y del pelo de estos gatos se transmiten de una generación a la siguiente.*

Dominancia incompleta

La idea de Mendel de que los genes son siempre dominantes o siempre recesivos resultó cierta en la mayoría de los casos, pero no en todos. En 1900, el botánico alemán Karl Correns hizo un importante descubrimiento. Correns descubrió que en algunos pares de genes, los genes no son ni dominantes ni recesivos, sino que manifiestan una **dominancia incompleta**. Esto significa que ninguno de los genes de un par oculta al otro. En consecuencia, los rasgos transmitidos por estos dos genes parecen estar combinados.

Correns hizo gran parte de sus experimentos con una planta llamada arrebolera, que aparece en la figura 1–12. Descubrió que al cruzar plantas puras de flores rojas (RR) con plantas puras de flores blancas (WW), todas las flores que obtenía eran rosadas (RW). Ni el gene del color rojo ni el del color blanco era el dominante. Ninguno de los dos estaba oculto. En cambio, los dos rasgos para el color de las flores, el rojo y el blanco, parecían estar mezclados. Esta combinación producía flores rosadas. Observa que el caso de la dominancia incompleta, los símbolos de los pares de genes de las flores rojas, de las flores blancas y de las flores rosadas son todas letras mayúsculas. Esto es así porque ni el gene de las flores rojas ni el de las flores blancas domina al otro.

La dominancia incompleta también ocurre en los animales. Un ejemplo célebre es el de unos hermosos caballos de color castaño dorado claro con crines y cola blancas. Si se cruza un caballo de raza pura de color

a purebred chestnut-brown horse (BB) is crossed with a purebred creamy-white horse (WW), their offspring will all be palominos (BW). If two palominos are crossed, what colors will their offspring be? Is it possible to have purebred palominos?

Genetic Principles

Through the work of scientists such as Mendel and Correns, certain basic principles of genetics have been established. These basic principles are

- **Traits, or characteristics, are passed on from one generation of organisms to the next generation.**
- **The traits of an organism are controlled by genes.**
- **Organisms inherit genes in pairs, one gene from each parent.**
- **Some genes are dominant, whereas other genes are recessive.**
- **Dominant genes hide recessive genes when both are inherited by an organism.**
- **Some genes are neither dominant nor recessive. These genes show incomplete dominance.**

In 1866, Mendel published a paper describing his experiments and conclusions in a little-known scientific journal. Scientists at that time, however, were not prepared to accept Mendel's results. They did not understand the importance of his work. Mendel's paper remained unread and unappreciated for many years. Finally, in the early 1900s, Mendel's paper was rediscovered. Scientists realized that Mendel had correctly described the basic principles of genetics. Mendel's discoveries were at last recognized as an important scientific breakthrough.

ACTIVITY DOING

Incomplete Dominance

In this activity, you will use coins to model a cross between two plants with the genotype RW.
1. Obtain two coins.
2. Cut four equal pieces of masking tape to fit on the coins without overlapping.
3. Place a piece of tape on each side of both coins.
4. Write the letter R on one side of each coin and the letter W on the other side.
5. Toss both coins 100 times and record the genotype for each toss.

What is the percentage of occurrence for each genotype? Draw a Punnett square showing this cross.

1–2 Section Review

1. List six basic principles of genetics.
2. What is incomplete dominance?
3. What is a hybrid organism?

Critical Thinking—*Relating Concepts*
4. Can a short-stemmed pea plant ever be a hybrid? Explain why or why not.

castaño (BB) con un caballo de raza pura de color blanco (WW), sus descendientes serán todos de color castaño con crines y cola blancas (BW). Si se cruzan dos de esos caballos, ¿de qué color serán sus descendientes? ¿Es posible que esos caballos sean de pura raza?

Principios de la genética

Gracias a la labor de científicos como Mendel y Correns, se han establecido ciertos principios básicos de la genética. Estos principios básicos son:

- **Los rasgos, o características, se transmiten de una generación de organismos a la siguiente.**
- **Los rasgos de un organismo están controlados por genes.**
- **Los organismos heredan genes en pares, es decir, heredan un gene de cada progenitor.**
- **Algunos genes son dominantes y otros son recesivos.**
- **Cuando un organismo hereda genes dominantes y recesivos, los dominantes ocultan a los recesivos.**
- **Algunos genes no son ni dominantes ni recesivos. Estos genes tienen dominancia incompleta.**

En 1866, Mendel publicó los resultados de sus experimentos y sus conclusiones en un periódico científico poco conocido. Sin embargo, los científicos de la época no estaban dispuestos a aceptar los resultados de Mendel. No comprendían la importancia de sus investigaciones. Nadie leyó el estudio de Mendel ni reconoció su mérito por muchos años. Por último, a principios del siglo XX, alguien redescubrió el estudio de Mendel. Los científicos se dieron cuenta de que Mendel había enunciado correctamente los principios básicos de la genética. Al fin se reconoció que los descubrimientos de Mendel constituían un importante adelanto científico.

ACTIVIDAD PARA HACER

Dominancia incompleta

En esta actividad utilizarás monedas para demostrar cómo se cruzan dos plantas que tienen el genotipo RW.

1. Consigue dos monedas.

2. Corta cuatro trozos de cinta adhesiva del mismo tamaño para pegar en las caras de las monedas sin cubrir los bordes.

3. Pega un trozo de cinta adhesiva en cada una de las caras de ambas monedas.

4. Escribe la letra R en una de las caras de cada moneda, y la letra W en la otra.

5. Tira 100 veces al aire ambas monedas juntas y anota el genotipo que obtengas cada vez.

¿Qué porcentaje de veces ha obtenido cada genotipo? Muestra este cruzamiento en un cuadro de Punnett.

1–2 Repaso de la sección

1. Enumera seis principios básicos de la genética.
2. ¿Qué es la dominancia incompleta?
3. ¿Qué es un organismo híbrido?

Pensamiento crítico—*Relacionar conceptos*
4. ¿Es posible que una planta de guisantes de tallo enano sea alguna vez una planta híbrida? Explica por qué.

Activity Bank

Flip Out!, p.105

Figure 1–14 *According to the law of probability, a coin will land heads up 50 percent of the time and tails up 50 percent of the time. What is the probability that the next child born to these parents, who already have four sons, will be a boy? A girl?*

1–3 Genetics and Probability

In one of Mendel's experiments, he crossed two plants that were hybrid for yellow seeds (Yy). When he examined the plants that resulted, he discovered that about one seed out of every four was green. By applying the concept of probability to his work, Mendel was able to express his observations mathematically. He could say that the probability of such a cross producing green seeds was 1/4, or 25 percent. Probability is the possibility, or likelihood, that a particular event will take place. **Probability can be used to predict the results of genetic crosses.**

Probability

Suppose that you are about to toss a coin. What are the chances that the coin will land heads up? If you said a 50-percent chance, you are correct. What are the chances that the coin will land tails up? Again, the answer is 50 percent. Although you may not realize it, you, like Gregor Mendel, used the laws of probability to arrive at your answers. You figured out the chance, or likelihood, that the coin would come up heads (or tails) on one toss.

A probability is usually written as a fraction or as a percentage. For example, the chance that a sex cell will receive a Y gene from a parent with a Yy gene

Guía para la lectura

*Piensa en esta pregunta
mientras lees.*

▶ *¿Cómo puedes predecir los
resultados de cruzamientos
genéticos aplicando la ley
de la probabilidad y los
cuadros de Punnett?*

Pozo de actividades

¿Cara o cruz?, p. 105

Figura 1–14 *Según la ley de la
probabilidad, una moneda caerá de
cara hasta un 50% de las veces y de
cruz hasta un 50% de las veces.
¿Cuál es la probabilidad de que el
próximo hijo que tengan estos
padres, que ya tienen cuatro hijos
varones, sea un varón? ¿O una niña?*

1–3 La genética y la ley de la probabilidad

En uno de sus experimentos, Mendel cruzó dos
plantas híbridas de semillas amarillas (Yy). Al examinar las
plantas obtenidas, descubrió que aproximadamente una
semilla de cada cuatro era verde. Aplicando la ley de la
probabilidad a sus investigaciones, Mendel pudo expresar
sus observaciones en términos matemáticos. Pudo decir
que la probabilidad de que ese cruzamiento produjera
semillas verdes era de 1/4, o 25%. La probabilidad es la
posibilidad de que ocurra un hecho particular. **La ley de
la probabilidad puede utilizarse para predecir los
resultados de los cruzamientos genéticos.**

La ley de la probabilidad

Supongamos que vas a tirar al aire una moneda. ¿Cuál
es la probabilidad de que la moneda caiga de cara? Si tu
respuesta es 50%, has acertado. ¿Cuál es la probabilidad
de que la moneda caiga de cruz? También en este caso la
respuesta es 50%. Aunque tal vez no te hayas dado cuenta,
has aplicado, como Gregorio Mendel, las leyes de la probabilidad para dar una respuesta. Calculaste la probabilidad
de que la moneda cayera de cara (o cruz) cada vez.

La probabilidad por lo general se expresa como
fracción o porcentaje. Por ejemplo, la probabilidad de
que una célula sexual reciba el gen Y de un progenitor

pair is 1/2, or 50 percent. In other words, you would expect one half, or 50 percent, of the sex cells to receive a Y gene.

In probability, the results of one event do not affect the results of the next. Previous events do not affect future outcomes. Each event happens independently. For example, suppose you toss a coin 10 times and it lands heads up each time. What is the probability that it will land heads up on the next toss? Because the coin landed heads up on the previous 10 tosses, you might think that it is also likely to land heads up on the next toss. But this is not the case. The probability of the coin's landing heads up on the next toss is still 1/2, or 50 percent. The results of the first 10 tosses do not influence the result of the eleventh toss.

Punnett Squares

In addition to probability, a special chart called a Punnett square is used to show the possible gene combinations in a cross between two organisms. This chart was developed by Reginald C. Punnett, an English geneticist.

Let's see how a Punnett square works. Look at the Punnett square in Figure 1–15. It shows a cross between two guinea pigs. The two possible genes in the female sex cells are listed across the top of the chart. The two possible genes in the male sex cells are listed along the left side. Remember, when a male sex cell (sperm) and a female sex cell (egg) join, a fertilized egg forms. Each box in the Punnett square represents a possible gene pair in the fertilized egg.

Notice that in the P (parent) generation, both of the female's genes are for black hair (BB). Both of the male's genes are for white hair (bb). All of the offspring in the F₁ generation are hybrid black (Bb). If you were to look at these hybrid black-haired guinea pigs, you would not be able to tell the difference between them and purebred black-haired guinea pigs. Their **phenotypes** (FEE-noh-tighps), or physical appearances, are the same. Phenotype refers to a visible characteristic; in this case, black hair. However, their **genotypes** (JEHN-uh-tighps) are different. A genotype is the actual gene makeup of an organism.

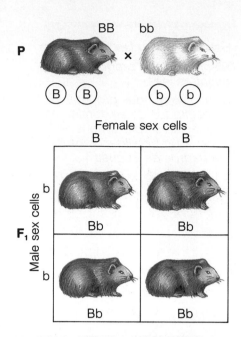

Figure 1–15 *This Punnett square shows a cross between a black guinea pig and a white guinea pig. What is the phenotype of the offspring?*

Probability

What is the probability that two plants with the genotype Rr, where R = smooth seeds and r = wrinkled seeds, will produce an offspring that has wrinkled seeds? Express your answer as a fraction and as a percentage.

que tenga el par de genes Yy es de 1/2, o 50%. En otras palabras, calcularías que la mitad (o el 50%) de las células sexuales recibiría el gen Y.

Según la ley de la probabilidad, los resultados de un suceso no influyen en los resultados del próximo. Los sucesos anteriores no influyen en los resultados futuros. Cada suceso ocurre en forma independiente. Por ejemplo, supongamos que tiras 10 veces al aire una moneda que cae de cara todas las veces. ¿Cuál es la probabilidad de que caiga de cruz la próxima vez? Como la moneda cayó de cara las 10 veces anteriores, tal vez pienses que es probable que caiga de cara la próxima vez. Pero no ocurre así. La probabilidad de que la moneda caiga de cara la próxima vez sigue siendo 1/2, o 50%. Los resultados de las 10 primeras veces no influyen en el resultado de la undécima vez.

Los cuadros de Punnett

Además de la ley de la probabilidad, se pueden calcular las combinaciones posibles de genes resultantes del cruzamiento de dos organismos utilizando un gráfico especial llamado cuadro de Punnett. Este gráfico fue inventado por un genetista inglés llamado Reginald C. Punnett.

Veamos cómo se usa el cuadro de Punnett. Observa el que aparece en la figura 1–15, que muestra un cruzamiento de dos conejillos de Indias. Los dos genes posibles de las células sexuales femeninas se indican en la parte de arriba del gráfico. Los dos genes posibles de las células sexuales masculinas aparecen en el costado izquierdo. Recuerda que cuando una célula sexual masculina (espermatozoide) se une a una célula sexual femenina (óvulo), el resultado es un óvulo fecundado. Cada casilla del cuadro de Punnett representa uno de los pares de genes posibles del óvulo fecundado.

Observa que en la generación P (progenitora) los dos genes femeninos son genes del pelo negro (BB). Los dos genes masculinos son genes del pelo blanco (bb). Todos los descendientes de la generación F_1 son conejillos de Indias negros híbridos (Bb). No sería posible distinguir a estos conejillos híbridos negros de los conejillos negros de raza pura sólo por su aspecto. Sus **fenotipos** (o aspecto físico) son idénticos. El fenotipo se refiere a una característica visible (en este caso, el pelo negro). Sin embargo, sus **genotipos** son diferentes. El genotipo es la composición genética propiamente dicha de un organismo.

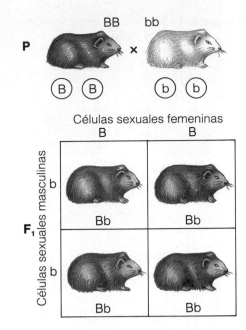

Figura 1–15 *Este cuadro de Punnett muestra el cruzamiento de un conejillo de Indias negro con uno blanco. ¿Qué fenotipo tienen los descendientes?*

ACTIVIDAD

PARA CALCULAR

Probabilidad

¿Cuál es la probabilidad de que dos plantas que tengan el genotipo Rr, en la que R = semillas redondas y r = semillas rugosas, produzcan descendientes de semillas rugosas? Indica la respuesta como fracción y como porcentaje.

Figure 1–16 *This Punnett square shows a cross between two hybrid black guinea pigs. What phenotypes are present in the offspring?*

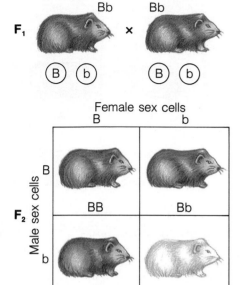

F₁ Bb × Bb
Ⓑ ⓑ   Ⓑ ⓑ

Female sex cells
B   b

Male sex cells
B   BB   Bb
b   Bb   bb

A purebred black-haired guinea pig has the genotype BB; a hybrid black-haired guinea pig has the genotype Bb. Both the purebred guinea pig and the hybrid guinea pig have black hair. Figure 1–16 shows a cross between two of the hybrid black-haired guinea pigs from the F_1 generation. The results of the F_1 cross, or the F_2 generation, are 1/4 purebred black (BB), 1/2 hybrid black (Bb), and 1/4 purebred white (bb). What percentage of the offspring have the same genotype as the parents? What percentage have the same phenotype?

1–3 Section Review

1. What is probability?
2. What is the difference between genotype and phenotype? Give an example.

Critical Thinking—*Making Predictions*

3. Use a Punnett square to predict the outcome of a cross between a hybrid black guinea pig and a white guinea pig. What are the possible genotypes of the offspring? What are the possible phenotypes? (*Hint:* What is the gene makeup of the white guinea pig?)

PROBLEM Solving

Using Punnett Squares to Solve Genetics Problems

One-Factor Crosses: Sample Problem

In pea plants, round seeds are dominant over wrinkled seeds. Predict the genotypes and phenotypes of a cross between two hybrid round-seeded pea plants.

SOLUTION:

Step 1 Choose a letter to represent the genes in the cross.

R = round
r = wrinkled

Figura 1–16 *Este cuadro de Punnett muestra el cruzamiento de dos conejillos de Indias híbridos negros. ¿Qué fenotipos tienen los descendientes?*

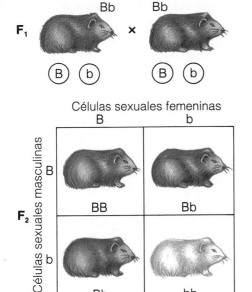

F₁   Bb   ×   Bb

Ⓑ Ⓑ   Ⓑ Ⓑ

Células sexuales femeninas
B   b

Células sexuales masculinas

B   BB   Bb

b   Bb   bb

F₂

El conejillo de Indias negro de raza pura tiene el genotipo BB; el conejillo de Indias híbrido negro tiene el genotipo Bb. Tanto el de raza pura como el híbrido tienen pelo negro. La figura 1–16 muestra el cruzamiento de dos conejillos negros híbridos de la generación F_1. Los resultados del cruzamiento de la generación F_1, o sea la generación F_2, son los siguientes: negros de raza pura (BB), 1/4; negros híbridos (Bb), 1/2, y blancos de raza pura (bb), 1/4. ¿Qué porcentaje de los descendientes tienen el mismo genotipo que los progenitores? ¿Qué porcentaje tiene el mismo fenotipo?

1–3 Repaso de la sección

1. ¿Qué es la probabilidad?
2. ¿Qué diferencia hay entre genotipo y fenotipo? Da un ejemplo.

Pensamiento crítico—*Hacer predicciones*

3. Utiliza un cuadro de Punnett para predecir el resultado del cruzamiento de un conejillo de Indias negro híbrido y uno blanco. ¿Cuáles son los genotipos posibles de los descendientes? ¿Cuáles son los fenotipos posibles? (*Pista:* ¿Qué composición genética tiene el conejillo de Indias blanco?)

PROBLEMA
a resolver

Utilización de los cuadros de Punnett para resolver problemas genéticos

Cruzamiento de un factor: ejemplo

En las plantas de guisantes, el gen de las semillas redondas es dominante y el de las semillas rugosas recesivo. Piensa cuáles serán los genotipos y fenotipos de un cruzamiento de dos plantas de guisantes híbridas de semillas redondas.

SOLUCIÓN:

Paso 1 Elige una letra para representar los genes en el cruzamiento.

R = semilla redonda
r = semilla rugosa

Use a letter whose capital form does not look too similar to its lowercase form. This will make it easier for you to read your finished Punnett square. Except for that requirement, it is not important which letter you select. In this case, R is the dominant round gene and r is the recessive wrinkled gene.

Step 2 Write the genotypes of the parents.

Rr × Rr

This step is often written as an abbreviation of the cross being studied. The x between the parents' genotypes is read "is crossed with." In this case, Rr is crossed with Rr.

Step 3 Determine the possible genes that each parent can produce.

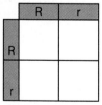

Step 4 Write the possible genes at the top and side of the Punnett square.

Step 5 Complete the Punnett square by writing the gene combinations in the appropriate boxes.

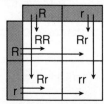

This step represents the process of fertilization. The gene from the top of the box and the gene from the side of the box are combined inside each of the four boxes. If there is a combination of capital letter and lowercase letter in a box, write the capital letter first. The letters inside the box represent the probable genotypes of the offspring resulting from the cross. In this example, 1/4 of the offspring are genotype RR, 1/2 are Rr, and 1/4 are rr.

Step 6 Determine the phenotypes of the offspring.

	R	r
R	RR	Rr
r	Rr	rr

Remember that phenotype refers to the physical appearance of an organism. The principle of dominance makes it possible to determine the phenotype that corresponds to each genotype inside the Punnett square. In this example, 3/4 of the offspring have round seeds and 1/4 of the offspring have wrinkled seeds.

One-Factor Crosses: Practice Problems

1. What are the possible genotypes and phenotypes produced when a hybrid round-seeded pea plant (Rr) is crossed with a purebred wrinkled-seeded plant (rr)?

2. What are the possible genotypes and phenotypes produced when a purebred round-seeded pea plant (RR) is crossed with a hybrid round-seeded plant (Rr)?

Elige una letra cuya mayúscula no sea muy parecida a la correspondiente minúscula. Así será más fácil leer el cuadro de Punnett. Salvo este detalle, puedes elegir cualquier letra. En este caso, R es el gene dominante de las semillas redondas y r es el gene recesivo de las semillas rugosas.

Paso 2   Anota los genotipos de los progenitores.

Rr x Rr

Este paso del cruzamiento estudiado suele representarse en forma abreviada. La x entre los genotipos de los progenitores significa "se cruza con." En este caso, Rr se cruza con Rr.

Paso 3   Determina cuáles son los genes que puede producir cada progenitor.

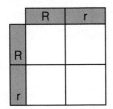

Paso 4   Indica los genes posibles arriba y al costado del cuadro de Punnett.

Paso 5   Completa el cuadro de Punnett anotando las combinaciones de genes en las casillas que corresponda.

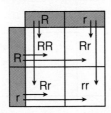

Este paso representa el proceso de fecundación. El gene indicado arriba y el gene indicado al costado se combinan dentro de cada una de las cuatro casillas. Si en una casilla se combinan una letra mayúscula y una minúscula, apunta primero la letra mayúscula. Las letras dentro de cada casilla representan los genotipos probables de los descendientes. En este ejemplo, 1/4 de los descendientes tienen el genotipo RR, 1/2 tienen el genotipo Rr y 1/4, el genotipo rr.

Paso 6   Determina los fenotipos de los descendientes.

	R	r
R	RR	Rr
r	Rr	rr

Recuerda que el fenotipo se refiere al aspecto físico de un organismo. El principio de dominancia permite determinar el fenotipo que corresponde a cada genotipo incluido en el cuadro de Punnett. En este ejemplo, 3/4 de los descendientes tienen semillas redondas, y 1/4 de los descendientes tienen semillas rugosas.

Cruzamientos de un factor: ejercicios prácticos

1. ¿Qué genotipos y fenotipos se obtendrán al cruzar una planta de guisantes híbrida de semillas redondas (Rr) con una planta pura de semillas rugosas (rr)?

2. ¿Qué genotipos y fenotipos se obtendrán al cruzar una planta de guisantes pura de semillas redondas (RR) con una planta híbrida de semillas rugosas (Rr)?

Laboratory Investigation

Dominant and Recessive Traits

Problem

What are the phenotypes of some dominant and recessive human traits?

Materials *(per group)*

paper
pencil

Procedure

1. Copy the data table shown here on a sheet of paper.
2. Count the number of students in your class who have each of the traits listed in the table. Tongue rolling is the ability to roll the tongue into a U-shape. Free ear lobes are those that hang below the point of attachment to the head. Attached ear lobes are attached directly to the side of the head. A widow's peak is a distinct point in the hairline in the center of the forehead. Record your results in the data table.

3. Determine the percentage of students who demonstrate each trait as follows: Divide the number of students who have the trait by the total number of students in your class and multiply by 100. Record the percentages in the data table.

Observations

1. Which trait is most common in your class? Which is least common?
2. Do any students have traits that are intermediate between the dominant and recessive traits? If so, how many? Describe the intermediate traits.

Analysis and Conclusions

1. Do dominant traits occur more often than recessive traits? Explain.
2. Predict how your observations might be different if you were to observe four other classes of students.
3. **On Your Own** State a hypothesis to explain why some students have traits that are intermediate.

DATA TABLE					
Traits		**Number of Students Demonstrating Dominant Trait**	**Number of Students Demonstrating Recessive Trait**	**Percentage Demonstrating Dominant Trait**	**Percentage Demonstrating Recessive Trait**
Dominant	*Recessive*				
Tongue roller	Nonroller				
Free ear lobes	Attached ear lobes				
Dark hair	Light hair				
Widow's peak	Straight hairline				
Nonred hair	Red hair				
Total					

Investigación de laboratorio

Caracteres dominantes y recesivos

Problema

¿Cuáles son los fenotipos de algunos rasgos dominantes y recesivos del ser humano?

Materiales *(para cada grupo)*

papel
lápiz

Procedimiento

1. Copia el cuadro de datos que figura más abajo en una hoja de papel.

2. Cuenta cuántos estudiantes de la clase tienen cada uno de los rasgos indicados en el cuadro. Uno de ellos es la capacidad de doblar la lengua en forma de U. Otro es de los lóbulos de la oreja. Los lóbulos separados son los que no están adheridos totalmente a los costados de la cabeza. Los lóbulos pegados están adheridos directamente a la cabeza. En algunas personas, la línea donde empieza el cuero cabelludo forma una punta en la mitad de la frente; en otras, esa línea es recta. Anota los resultados en el cuadro de datos.

3. Determina el porcentaje de estudiantes que posee cada rasgo de la siguiente manera: divide el número de estudiantes que tiene el rasgo estudiado por el número total de estudiantes de la clase y multiplica el resultado por 100. Anota los porcentajes en el cuadro de datos.

Observaciones

1. ¿Cuál es el rasgo más común entre tus compañeros(as)? ¿Cuál es el menos común?

2. ¿Tienen algunos de los estudiantes rasgos intermedios entre los dominantes y los recesivos? Si es así, ¿cuántos son? Describe los rasgos intermedios.

Análisis y conclusiones

1. ¿Son los rasgos dominantes más frecuentes que los recesivos? Explica por qué.

2. Trata de predecir que resultados obtendrías si observaras otros cuatro grupos de estudiantes.

3. **Por tu cuenta** Formula una hipótesis para explicar por qué algunos estudiantes tienen rasgos intermedios.

CUADRO DE DATOS

Rasgos		Número de estudiantes que poseen el rasgo dominante	Número de estudiantes que poseen el rasgo recesivo	Porcentaje que posee el rasgo dominante	Porcentaje que posee el rasgo recesivo
Dominante	*Recesivo*				
Dobla la lengua	No dobla la lengua				
Lóbulos separados	Lóbulos pegados				
Cabellos oscuros	Cabellos claros				
Línea de la frente en punta	Línea de la frente recta				
Cabello no pelirrojo	Cabello pelirrojo				
Total					

Summarizing Key Concepts

1–1 History of Genetics

▲ Genetics is the study of heredity, or the passing on of traits from an organism to its offspring.

▲ For each trait, every organism has a pair of factors, or units of heredity, called genes.

▲ The stronger of two genes for a trait is called the dominant; the weaker is called the recessive.

1–2 Principles of Genetics

▲ A purebred organism has genes that are alike for a particular trait (TT or tt).

▲ A hybrid has genes that are different for a trait (Tt).

▲ According to the law of segregation, one gene from each gene pair goes to each sex cell.

▲ The law of independent assortment states that each gene pair is inherited independently of the gene pairs for all other traits.

▲ In some gene pairs, the genes show incomplete dominance; that is, neither gene hides the other.

1–3 Genetics and Probability

▲ Probability can be used to predict the results of genetic crosses.

▲ Probability is the chance, or likelihood, that an event will happen.

▲ In probability, the results of one event do not affect the results of the next event.

▲ Punnett squares show the possible gene combinations resulting from a cross between two organisms.

▲ A phenotype describes a visible characteristic, whereas a genotype is the actual gene makeup.

Reviewing Key Terms

Define each term in a complete sentence.

1–1 History of Genetics
trait
genetics
gene
dominant
recessive

1–2 Principles of Genetics
hybrid
incomplete dominance

1–3 Genetics and Probability
phenotype
genotype

Resumen de conceptos claves

1–1 Historia de la genética

▲ La genética es el estudio de la herencia, o la transmisión de rasgos de un organismo a sus descendientes.

▲ Cada organismo tiene un par de factores, o unidades de la herencia, llamados genes, para cada rasgo.

▲ El más fuerte de los dos genes correspondientes a un rasgo se llama dominante; el más débil se llama recesivo.

1–2 Principios de la genética

▲ En un organismo puro, los genes para un rasgo determinado son idénticos (TT o tt).

▲ En un organismo híbrido, los genes para un rasgo determinado son diferentes (Tt).

▲ Según la ley de segregación, cada célula sexual recibe un gene de cada par de genes.

▲ Según la ley de distribución independiente, cada par de genes se hereda independientemente de los pares de genes correspondientes a todos los demás rasgos.

▲ En algunos pares de genes, los genes tienen una dominancia incompleta, es decir, ninguno de los dos oculta al otro.

1–3 La genética y la ley de la probabilidad

▲ Se puede aplicar la ley de la probabilidad para predecir los resultados de cruzamientos genéticos.

▲ La probabilidad es la posibilidad de que ocurra algo.

▲ Según la ley de la probabilidad, los resultados de un suceso no afectan a los resultados del suceso siguiente.

▲ Los cuadros de Punnett sirven para mostrar las posibles combinaciones de genes resultantes de un cruzamiento de dos organismos.

▲ El fenotipo describe una característica visible, en tanto que el genotipo describe la estructura genética propiamente dicha.

Repaso de palabras claves

Define cada palabra o palabras con una oración completa.

1–1 Historia de la genética
rasgo
genética
gene
dominante
recesivo

1–2 Principios de la genética
híbrido
dominancia incompleta

1–3 La genética y la ley de la probabilidad
fenotipo
genotipo

Chapter Review

Content Review

Multiple Choice

Choose the letter of the answer that best completes each statement.

1. The male reproductive structures of pea plants are called
   a. pistils.
   b. stamens.
   c. petals.
   d. pollen.
2. Who is called the Father of Genetics?
   a. Watson
   b. Correns
   c. Mendel
   d. Punnett
3. The symbol for a dominant gene is written as
   a. a capital letter.
   b. a lowercase letter.
   c. a capital letter and a lowercase letter.
   d. two lowercase letters.
4. When Mendel crossed two short pea plants, the offspring were
   a. all short.
   b. all tall.
   c. 1/2 short and 1/2 tall.
   d. 3/4 tall and 1/4 short.
5. Mendel studied all of the following traits of pea plants except
   a. stem length.
   b. seed color.
   c. flower color.
   d. pod color.
6. Gene pairs for a trait separate according to the law of
   a. independent assortment.
   b. incomplete dominance.
   c. hybridization.
   d. segregation.
7. Which gene pair would a hybrid tall pea plant have?
   a. TT
   b. tt
   c. Tt
   d. none of these
8. The probability that a pea plant will receive a T gene from a Tt parent is
   a. 1/4.
   b. 3/4.
   c. 50 percent.
   d. 100 percent.

True or False

If the statement is true, write "true." If it is false, change the underlined word or words to make the statement true.

1. One reason Mendel studied pea plants is that they grow and reproduce <u>slowly</u>.
2. The <u>pistil</u> of a pea plant flower produces pollen.
3. The process by which a plant pollinates itself is called <u>cross-pollination</u>.
4. Mendel called plants that always produce offspring with the same traits as the parents <u>true-breeding</u> plants.
5. Two of Mendel's laws of genetics are the law of <u>probability</u> and the law of independent assortment.
6. Probability is usually expressed as a fraction or as a <u>percentage</u>.
7. Scientists who study heredity are called <u>plant breeders</u>.

Concept Mapping

Complete the following concept map for Section 1–1. Refer to pages E6–E7 to construct a concept map for the entire chapter.

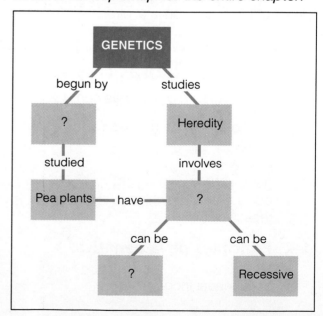

Repaso del capítulo

Repaso del contenido

Selección múltiple

Selecciona la letra de la respuesta que mejor complete cada frase.

1. Los órganos reproductores masculinos de las plantas de guisantes se llaman
   a. pistilos.
   b. estambres.
   c. pétalos.
   d. polen.

2. ¿Quién es el padre de la genética?
   a. Watson
   b. Correns
   c. Mendel
   d. Punnett

3. El símbolo de un gene dominante es
   a. una letra mayúscula.
   b. una letra minúscula.
   c. una letra mayúscula y una letra minúscula.
   d. dos letras minúsculas.

4. Cuando Mendel cruzó dos plantas de guisantes de tallo corto, las plantas descendientes que obtuvo eran
   a. todas enanas.
   b. todas altas.
   c. 1/2 enanas y 1/2 altas.
   d. 3/4 altas y 1/4 enanas.

5. Mendel estudió todos estos rasgos de las plantas de guisantes menos el
   a. largo del tallo.
   b. color de las semillas.
   c. color de las flores.
   d. color de la vaina.

6. Los pares de genes de un rasgo determinado se separan de acuerdo con la ley de
   a. distribución independiente.
   b. dominancia incompleta.
   c. hibridación.
   d. segregación.

7. ¿Qué par de genes tendría una planta de guisantes alta híbrida?
   a. TT
   b. tt
   c. Tt
   d. Ninguno de éstos

8. La probabilidad de que una planta de guisantes reciba un gene T de un progenitor Tt es de un
   a. 1/4.
   b. 3/4.
   c. 50%.
   d. 100%.

Verdadero o falso

Si la afirmación es verdadera, escribe "verdad." Si es falsa, cambia las palabras subrayadas para que sea verdadera.

1. Mendel estudió las plantas de guisantes porque crecen y se reproducen <u>lentamente</u>.
2. El <u>pistilo</u> de la flor de una planta de guisantes produce polen.
3. El proceso por el cual una planta se poliniza a sí misma se llama <u>polinización cruzada</u>.
4. Mendel llamó a las plantas cuyos descendientes siempre tienen los mismos rasgos que los progenitores <u>plantas puras</u>.
5. Dos de las leyes de la genética formuladas por Mendel son la ley de la <u>probabilidad</u> y la ley de distribución independiente.
6. La probabilidad suele expresarse como fracción o como <u>porcentaje</u>.
7. Los científicos que estudian la herencia se llaman <u>criadores de plantas</u>.

Mapa de conceptos

Completa el siguiente mapa de conceptos para la sección 1–1. Para hacer un mapa de conceptos de todo el capítulo, consulta las páginas E6–E7.

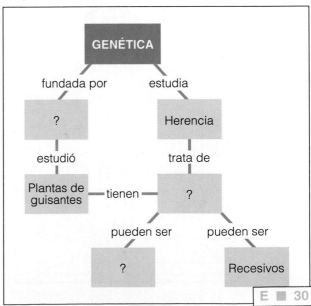

Concept Mastery

Discuss each of the following in a brief paragraph.

1. Explain why Gregor Mendel chose pea plants for his experiments.
2. Describe what happened when Mendel crossed two tall pea plants. How would Mendel's conclusions have been different if he had studied only one generation of pea plants?
3. Why was the importance of Mendel's work not recognized until the early 1900s?
4. What is the difference between cross-pollination and self-pollination?
5. In your own words, explain the law of segregation and the law of independent assortment, using specific examples.
6. Why does an offspring have a 50 percent chance of receiving a B gene from a parent with a Bb gene pair for hair color?

Critical Thinking and Problem Solving

Use the skills you have developed in this chapter to answer each of the following.

1. **Making predictions** A family has four daughters. What is the probability that a fifth child will be a girl? Does the fact that there are already four daughters in the family increase the probability of having another girl? Explain.
2. **Making diagrams** Complete the Punnett square to show the possible genotypes of the F_1 generation when a hybrid black (Bb) rabbit is crossed with a pure-bred brown (bb) rabbit.

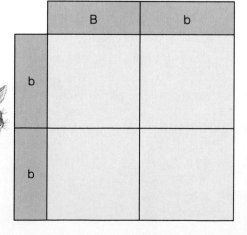

	B	b
b		
b		

3. **Applying concepts** In pea plants, short stems (t) are recessive and tall stems (T) are dominant. Two hybrid pea plants (Tt × Tt) are crossed. One hundred seeds from the two plants are collected and planted. How many plants in the next generation would you expect to have tall stems?
4. **Designing an experiment** Pink four-o'clock flowers (RW) can be produced by crossing a plant with red flowers (RR) and a plant with white flowers (WW). Design an experiment to produce a plant with red flowers from a plant with pink flowers. Draw a Punnett square to illustrate the results of your experiment.
5. **Making calculations** A short-tailed cat (LS) is crossed with a long-tailed cat (LL). If six kittens are born, how many might have short tails? How many might have long tails? Draw a Punnett square to illustrate this cross. Could any of the kittens have no tails? Explain.
6. **Using the writing process** Imagine that you are a student in the 1860s visiting Gregor Mendel in his garden. Write a letter to a friend describing Mendel's experiments with pea plants.

Dominio de conceptos

Comenta cada uno de los puntos siguientes en un párrafo breve.

1. Explica por qué Gregorio Mendel hizo sus experimentos con plantas de guisantes.
2. Describe qué ocurrió cuando Mendel cruzó dos plantas de guisantes altas. ¿Qué otras conclusiones habría sacado si hubiera estudiado sólo una generación de plantas de guisantes?
3. ¿Por qué no se reconoció la importancia de las investigaciones de Mendel hasta principios del siglo XX?
4. ¿Qué diferencia hay entre la polinización cruzada y la autopolinización?
5. Usando tus propias palabras, explica la ley de segregación y la ley de distribución independiente y da ejemplos concretos.
6. ¿Por qué un descendiente tiene una probabilidad del 50% de recibir un gene B de un progenitor que tiene un par de genes Bb para el color del cabello?

Pensamiento crítico y solución de problemas

Usa las destrezas que has desarrollado en este capítulo para resolver lo siguiente.

1. **Hacer predicciones** Una familia tiene cuatro hijas. ¿Cuál es la probabilidad de que el quinto hijo sea una niña? ¿Aumenta la probabilidad de tener otra niña el hecho de que la familia ya tenga cuatro hijas? Explica por qué.

2. **Hacer diagramas** Completa el cuadro de Punnett, indicando los posibles genotipos de la generación F_1 cuando se cruza un conejo negro híbrido Bb) con un conejo castaño de raza pura (bb).

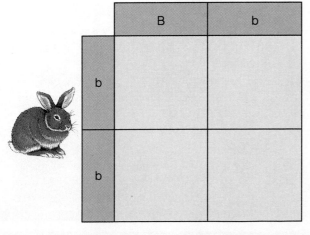

	B	b
b		
b		

3. **Aplicar conceptos** En las plantas de guisantes, los tallos enanos (t) son recesivos y los tallos altos (T) son dominantes. Si se cruzan dos plantas híbridas (Tt × Tt) y se recogen y se plantan 100 semillas de esas dos plantas, ¿cuántas plantas de la generación siguiente crees que tendrán tallo alto?

4. **Diseñar un experimento** Se pueden obtener flores de arrebolera rosadas (RW) cruzando una planta de flores rojas (RR) con una planta de flores blancas (WW). Diseña un experimento para obtener una planta de flores rojas de una planta de flores rosadas. Muestra los resultados de tu experimento en un cuadro de Punnett.

5. **Hacer cálculos** Si cruzamos un gato de cola corta (LS) con un gato de cola larga (LL) y nacen seis gatitos, ¿cuántos podrían tener la cola corta? ¿Cuántos podrían tener la cola larga? Muestra este cruzamiento en un cuadro de Punnett. ¿Sería posible que algunos de los gatitos nacieran sin cola? Explica por qué.

6. **Usar el proceso de la escritura** Imagínate que eres un estudiante que visita a Gregorio Mendel en su huerto alrededor de 1860. Escribe una carta a un amigo contándole los experimentos de Mendel con las plantas de guisantes.

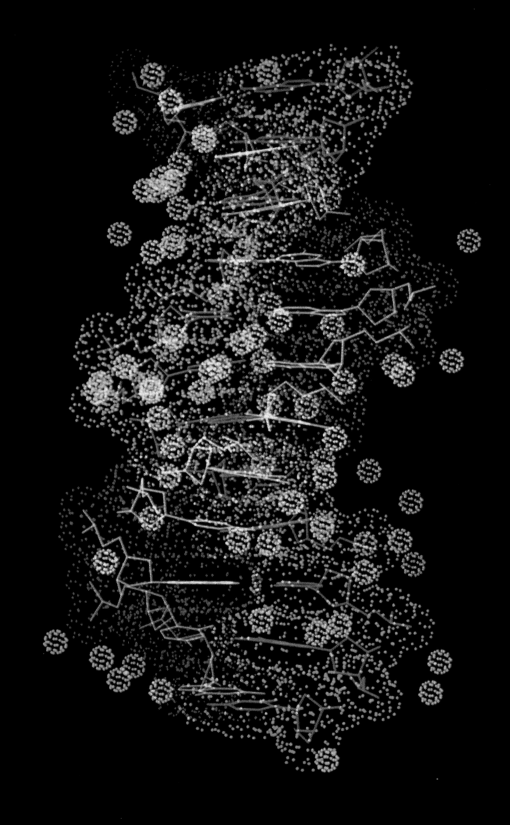

How Chromosomes Work

Guide for Reading

After you read the following sections, you will be able to

2–1 The Chromosome Theory
- Explain what is meant by the chromosome theory of heredity.
- Describe how the sex of an organism is determined.

2–2 Mutations
- Define mutations.

2–3 The DNA Molecule
- Describe the structure of the DNA molecule.
- Explain how a DNA molecule replicates.

2–4 How Chromosomes Produce Proteins
- Describe the process of protein synthesis.

Like a strange galaxy in outer space, the atoms in a computer model of a DNA molecule sparkle against a black background. In many ways, the DNA molecule is similar to a galaxy. Both are made up of many smaller parts. One helps explain the nature of the universe. The other helps explain the nature of living things.

DNA is sometimes called the "code of life." Hidden in the structure of the DNA molecule is the genetic code that shapes every living thing. Because no two living things contain exactly the same code, all living things are different. Variations in the genetic code result in the wonderful diversity of life.

Scientists have unraveled the way in which the chemical instructions in DNA are passed on from one generation to the next. In this chapter, you will learn how the knowledge locked inside the DNA molecule was decoded. Using this knowledge, scientists are now able to change the instructions in some DNA molecules. In doing so, they have produced changes in various forms of life—changes that have never existed before. These forms of life have already helped humans in ways we never dreamed of.

Journal *Activity*

You and Your World Genetic information is transmitted by means of "code words" in your genes. Try making up your own secret code. In your journal, write a short message in code. See if a classmate can translate your coded message.

This computer graphics image of a DNA molecule shows its characteristic spiral structure.

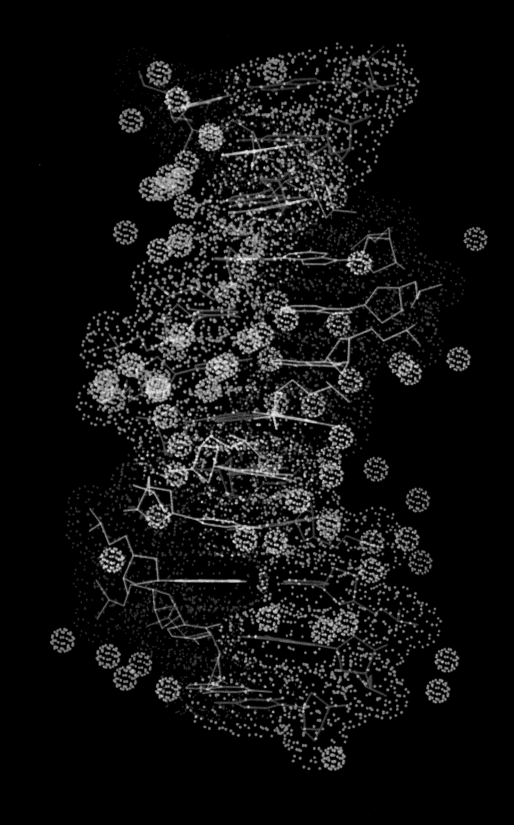

¿Cómo funcionan los cromosomas?

Guía para la lectura

Después de leer las secciones siguientes, vas a poder

2–1 La teoría cromosómica

- Explicar qué significa la teoría cromosómica de la herencia.

- Decidir cómo se determina el sexo de un organismo.

2–2 Las mutaciones

- Definir las mutaciones.

2–3 La molécula de ADN

- Describir la estructura de la molécula de ADN.

- Explicar la replicación de una molécula de ADN.

2–4 ¿Cómo producen proteínas los cromosomas?

- Describir el proceso de la síntesis de proteínas.

Como una extraña galaxia en el espacio, los átomos de este modelo computarizado de una molécula de ADN centellean en la oscuridad. En muchos aspectos, la molécula de ADN se parece a una galaxia. Ambas están constituidas por un sinnúmero de elementos más pequeños. Una sirve para explicar la naturaleza del universo. La otra sirve para explicar la naturaleza de los seres vivientes.

A veces se llama al ADN el "código de la vida." Oculto en la estructura de la molécula de ADN se encuentra el código genético que determina la estructura de cada ser viviente. Todos los seres vivos son distintos, ya que no hay dos que tengan el mismo código. La extraordinaria diversidad de seres vivientes se debe a las variaciones de ese código.

Los científicos han descubierto la forma en que las instrucciones químicas contenidas en el ADN se transmiten de una generación a la siguiente. En este capítulo aprenderás cómo se descifró el mensaje oculto en la molécula de ADN. Con estos datos, los científicos pueden cambiar ahora las instrucciones en algunas moléculas de ADN. De esta manera, han introducido cambios en diversos organismos, cambios que nunca existieron antes. Estos organismos ya han ayudado a los seres humanos en formas nunca antes imaginadas.

Diario *Actividad*

Tú y tu mundo La información genética se transmite por medio de "palabras en clave" que existen en tus genes. Trata de inventar tu propia clave secreta. En tu diario, escribe un breve mensaje en clave y ve si un compañero puede descifrarlo.

◄ *Esta imagen, creada por una computadora, muestra la estructura en espiral característica de la molécula de ADN.*

2–1 The Chromosome Theory

As you learned in Chapter 1, the work of Gregor Mendel provided many early solutions to the riddle of genetics. But Mendel did not have all the answers. For example, he did not know where the hereditary factors, or genes, are located in the cell. By the time Mendel's work was rediscovered, however, scientists had more clues to work with and better tools to help them in their research. The first clue came in 1882 when the German biologist Walther Flemming discovered **chromosomes.** Chromosomes are rod-shaped structures that are found in the nucleus of every cell in an organism. The next clue was provided by Walter Sutton, an American graduate student who in 1902 was doing research on chromosomes. While observing grasshopper chromosomes, Sutton discovered where the genes in a cell are located.

Grasshoppers have 24 chromosomes, arranged in 12 pairs. This means that every body cell in a grasshopper contains 24 chromosomes. Sutton observed that each of a grasshopper's sex cells (sperm or egg) contained 12 chromosomes, or half the number in body cells. Sutton also observed what happened when a male sex cell (sperm with 12 chromosomes) and a female sex cell (egg with 12 chromosomes)

Figure 2–1 *The photograph on the right shows the chromosomes of a mouse magnified 4000 times. What is the main function of chromosomes?*

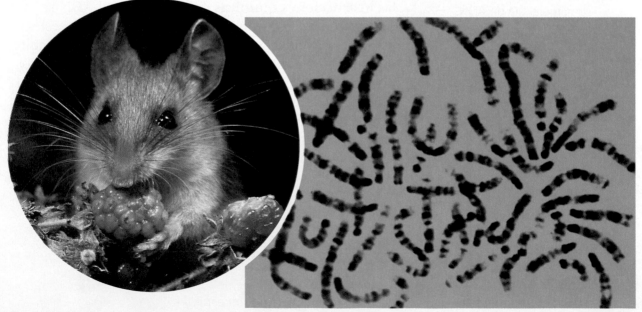

Guía para la lectura

*Piensa en estas preguntas
mientras lees.*

▶ *¿Qué significa la teoría
cromosómica de la herencia?*

▶ *¿Cuál es la principal función
de los cromosomas?*

2–1 La teoría cromosómica

Como aprendiste en el capítulo 1, las investigaciones de Gregorio Mendel sirvieron para develar muchos de los misterios de la genética. Pero Mendel no encontró todas las soluciones. Por ejemplo, no sabía que los factores hereditarios, o genes, se encuentran en las células. Sin embargo, para la época en que se redescubrieron los estudios de Mendel, los científicos tenían más pistas y mejores instrumentos para sus investigaciones. El biólogo alemán Walther Fleming encontró la primera pista en 1882 al descubrir los **cromosomas**. Los cromosomas son estructuras en forma de bastón que se encuentran en el núcleo de cada célula de un organismo. Walter Sutton, un estudiante de postgrado norteamericano que en 1902 hizo investigaciones sobre los cromosomas, encontró otra pista. Mientras observaba los cromosomas de los saltamontes, Sutton descubrió dónde están ubicados los genes dentro de la célula.

Los saltamontes tienen 24 cromosomas dispuestos en 12 pares. Esto significa que cada célula en el cuerpo del saltamontes contiene 24 cromosomas. Sutton observó que cada una de las células sexuales del saltamontes (espermatozoide u óvulo) contenía 12 cromosomas, o sea la mitad del número contenido en las células del cuerpo. Observó también lo que ocurría cuando se unían una célula sexual masculina (un espermatozoide con 12 cromosomas) y una célula

Figura 2–1 *La fotografía de la derecha muestra los cromosomas de un ratón, ampliados 4000 veces. ¿Cuál es la principal función de los cromosomas?*

joined. The fertilized egg that was formed had 24 chromosomes, the original number, arranged in 12 pairs. In other words, the grasshopper offspring had exactly the same number of chromosomes as each of its parents.

From his work, Sutton concluded that chromosomes carried Mendel's hereditary factors, or genes, from one generation to the next. In other words, genes are located on chromosomes. Sutton's idea that genes are found on chromosomes came to be known as the chromosome theory of heredity. **According to the chromosome theory, genes are carried from parents to their offspring on chromosomes.** How amazing it now seems that Mendel was able to do all of his work without even knowing about chromosomes!

Chromosomes and Proteins

Today, scientists know that chromosomes play an essential role in heredity. Chromosomes control all the traits of an organism. How do they perform this complex task? **The main function of chromosomes is to control the production of substances called proteins.** All organisms are made up primarily of proteins. Proteins determine the size, shape, and other physical characteristics of an organism. In other words, proteins determine the traits of an organism. The kind and number of proteins in an organism determine the traits of that organism. So by controlling the kind and number of proteins produced in an organism, chromosomes are able to determine the traits of that organism.

Chromosomes are found in pairs within the nucleus of a cell. Generally, for any particular trait, the gene contributed by one parent is on one of the paired chromosomes. The other gene for that trait, contributed by the other parent, is on the second chromosome of the pair. Each gene's major role is to control the production of a specific protein. So a chromosome, which contains many genes, actually controls the production of a wide variety of proteins. In the last section of this chapter, you will learn more about how chromosomes control the production of proteins.

ACTIVITY WRITING

Scientific Serendipity

In your study of science, you will find that many important discoveries were made by accident. Serendipity means being able to find something valuable without looking for it. All of the scientists listed below made important discoveries in this way. Use library references to find out what their discoveries were and how chance or accident helped in those discoveries. Write a report of your findings.
　　Alexander Fleming
　　Henri Becquerel
　　Friedrich Kekule
　　Arno Penzias
　　　and Robert Wilson

Figure 2–2 *Like most of the rest of the body, human hair is made of protein. This photograph of human hair was taken with a special microscope called a scanning electron microscope.*

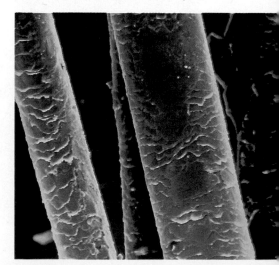

sexual femenina (óvulo con 12 cromosomas). El óvulo fecundado que se formaba tenía 24 cromosomas, es decir, el número inicial, dispuestos en 12 pares. En otras palabras, los descendientes tenían exactamente el número de cromosomas de cada uno de sus progenitores.

Basándose en sus investigaciones, Sutton dedujo que los cromosomas transmitían los factores hereditarios de Mendel, o genes, de una generación a la siguiente. Dicho de otro modo, los genes están ubicados en los cromosomas. Esta idea de Sutton de que los genes se encuentran en los cromosomas recibió el nombre de teoría cromosómica de la herencia. **Según la teoría cromosómica, los genes de los progenitores se transmiten a los descendientes por medio de los cromosomas.** ¿No es extraordinario que Mendel haya podido hacer todas sus investigaciones sin saber siquiera que existían los cromosomas?

Cromosomas y proteínas

Hoy día, los científicos saben que los cromosomas desempeñan una función crítica en la herencia. Los cromosomas controlan todos los rasgos de un organismo. ¿Cómo realizan esta tarea tan compleja? **La principal función de los cromosomas es controlar la producción de sustancias llamadas proteínas.** Todos los organismos están compuestos principalmente de proteínas. Las proteínas determinan el tamaño, la forma y otras características físicas de un organismo. En otras palabras, las proteínas determinan los rasgos de un organismo. La clase y el número de proteínas existentes en un organismo determinarán los rasgos de ese organismo. Así pues, al controlar la clase y el número de proteínas que produce un organismo, los cromosomas pueden determinar los rasgos de ese organismo.

Los cromosomas están dispuestos en pares dentro del núcleo de la célula. En general, el gene aportado por un progenitor para un rasgo dado se encuentra en uno de los cromosomas de cada par. El otro gene para ese rasgo, aportado por el otro progenitor, se encuentra en el segundo cromosoma del par. La principal función de cada uno de los genes es controlar la producción de una proteína determinada. Así pues, un cromosoma que contiene muchos genes controla, en realidad, la producción de una gran variedad de proteínas. En la última sección de este capítulo aprenderás cómo los cromosomas controlan la producción de proteínas.

ACTIVIDAD

PARA ESCRIBIR

La ciencia y la casualidad

En tu estudio de la ciencia, te enterarás de que muchos descubrimientos se hicieron accidentalmente. La casualidad significa encontrar algo útil o valioso sin buscarlo. Todos los científicos cuyos nombres figuran más abajo hicieron importantes descubrimientos de esa manera. Busca en la biblioteca información sobre sus descubrimientos y averigua cuántos de ellos se debieron a la casualidad. Luego prepara un informe.

Alexander Fleming
Henri Becquerel
Friedrich Kekule
Arno Penzias
   y Robert Wilson

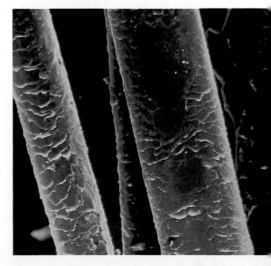

Figura 2–2 *Como la mayor parte del resto del cuerpo, el cabello del ser humano está hecho de proteínas. Esta fotografía del cabello humano se tomó con un microscopio especial llamado microscopio electrónico de barrido.*

Figure 2–3 *According to the chromosome theory, genes are located on chromosomes, which occur in pairs. Cobras have 38 chromosomes. How many pairs of chromosomes does a cobra have?*

Genes

Chromosomes

Figure 2–4 *The law of segregation states that the two genes for a trait are separated during the formation of sex cells. During meiosis, chromosomes double and then separate. Different gene pairs on different chromosomes separate independently.*

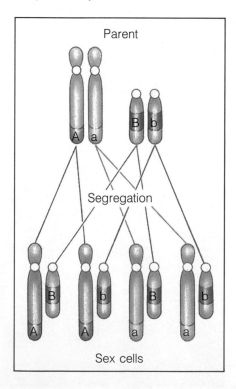

Parent

Segregation

Sex cells

Meiosis

Exactly how are chromosomes passed on from parents to offspring? After all, if each parent contributed all of its chromosomes to an offspring, then the offspring would have twice as many chromosomes as its parents—twice the normal number of chromosomes. This does not happen because of a process called **meiosis** (migh-OH-sihs).

The process of meiosis produces the sex cells, the sperm or egg cells. Remember that according to the law of segregation described in Chapter 1, each of an organism's two genes for a particular trait are separated, or segregated, during the formation of sex cells. This is precisely what happens during meiosis. As a result of meiosis, the number of chromosomes (and genes they carry) in each sex cell is half the normal number of chromosomes found in the parent. When sex cells combine to form the offspring, each sex cell contributes half the normal number of chromosomes. Thus, the offspring gets the normal number of chromosomes—half from each parent.

You can see in Figure 2–5 how meiosis works. In this example, each parent cell has four chromosomes. The chromosomes are arranged in two pairs.

Figura 2–3 *Según la teoría cromosómica, los genes están ubicados en los cromosomas, que vienen en pares. Las cobras tienen 38 cromosomas. ¿Cuántos pares de cromosomas tiene una cobra?*

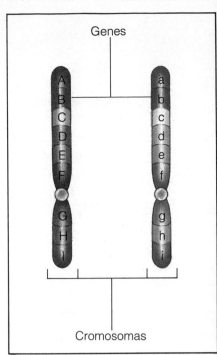

Genes

Cromosomas

Figura 2–4 *Según la ley de segregación, los dos genes correspondientes a un rasgo se separan durante la formación de las células sexuales. Durante la meiosis, los cromosomas se duplican y luego se separan. Los distintos pares de genes ubicados en distintos cromosomas se separan en forma independiente.*

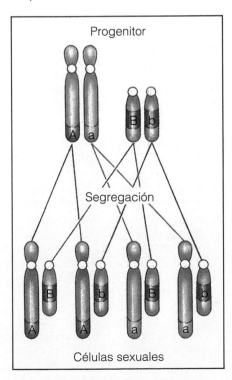

Progenitor

Segregación

Células sexuales

Meiosis

¿Cómo se transmiten exactamente los cromosomas de los progenitores a los descendientes? Después de todo, si cada progenitor cediera todos sus cromosomas a un descendiente, éste tendría dos veces más cromosomas que sus progenitores, es decir, el doble del número normal de cromosomas. Esto no ocurre debido a un proceso llamado **meiosis**.

Las células sexuales (espermatozoides u óvulos) se forman como resultado de la meiosis. Recuerda que, según la ley de segregación descrita en el capítulo 1, cada uno de los dos genes que un organismo tiene para cada rasgo se separan o segregan durante la formación de las células sexuales. Esto es precisamente lo que ocurre durante la meiosis. Como resultado de la meiosis, el número de cromosomas (y de genes que llevan consigo) de cada célula sexual se reduce a la mitad del número normal de cromosomas del progenitor. Cuando las células sexuales se combinan para formar un descendiente, cada una aporta la mitad del número normal de cromosomas. Así pues, el descendiente recibe el número normal de cromosomas; la mitad proviene de cada uno de los progenitores.

La figura 2–5 muestra qué pasa durante la meiosis. En este ejemplo, cada célula progenitora tiene cuatro cromosomas. Estos cromosomas están dispuestos en

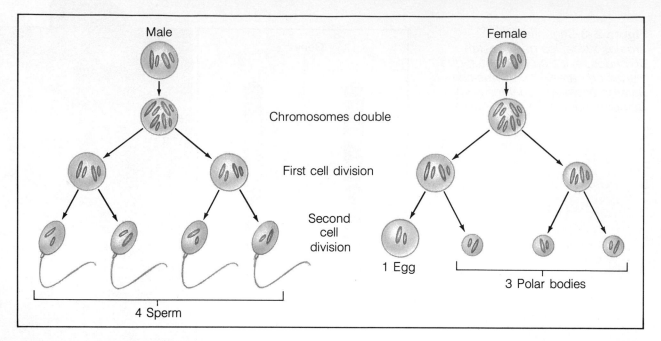

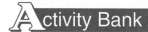

Refer to the diagram as you read the following description of meiosis.

The first thing that happens during meiosis is that the chromosomes in the cell double, producing eight chromosomes. Then the cell divides. During this cell division, the chromosome pairs separate and are equally distributed. So each of the two cells formed by this cell division has four chromosomes, the original number. Next, these two cells divide. Each of the resulting four cells now has two chromosomes. That is, each cell in the last group of cells produced by meiosis has half the number of chromosomes as the original parent cell.

The table in Figure 2–6 illustrates the relationship between Sutton's discoveries about chromosomes and Mendel's conclusions about hereditary factors, or genes. Can you see from this table what led Sutton to conclude that genes must be carried on chromosomes?

Sex Chromosomes

In 1907, the American zoologist Thomas Hunt Morgan began his own studies in genetics. He experimented with tiny insects called fruit flies. You may have seen fruit flies hovering over the fruits and vegetables in a grocery store or supermarket. Morgan chose to study fruit flies for three reasons. First, fruit flies are easy to raise. Second, they produce

Figure 2–5 *During the process of meiosis, a male or a female cell undergoes two divisions, resulting in sex cells (sperm and egg) that have half the normal number of chromosomes. The polar bodies disintegrate, leaving only one egg cell.*

 Activity Bank

A Model of Meiosis, p.106

Figure 2–6 *This table shows how a comparison of the work of Mendel and Sutton supports the chromosome theory of heredity. What is the chromosome theory?*

COMPARISON OF MENDEL'S AND SUTTON'S DISCOVERIES	
Mendel's Factors (genes)	**Sutton's Chromosomes**
Genes occur in pairs	Chromosomes occur in pairs
Genes in a pair separate	Chromosomes separate
Sex cells contain one gene from each gene pair	Sex cells contain half the normal number of chromosomes

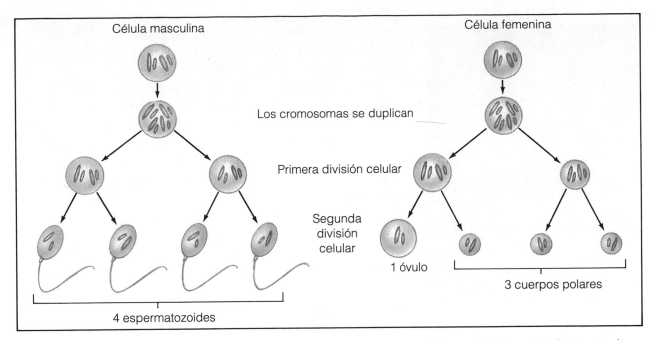

Célula masculina

Célula femenina

Los cromosomas se duplican

Primera división celular

Segunda división celular

1 óvulo

3 cuerpos polares

4 espermatozoides

dos pares. Mira el diagrama al leer la siguiente descripción de la meiosis.

En la meiosis, lo primero que ocurre es que los cromosomas de la célula se duplican y se convierten en ocho cromosomas. Luego la célula se divide en dos. Durante esta división celular, los pares de cromosomas se separan y se dividen en partes iguales, de modo que cada una de las células resultantes de esta división celular tiene cuatro cromosomas, o sea el número inicial. Luego, estas dos células también se dividen. Cada una de las cuatro células resul-tantes tiene ahora dos cromosomas. Esto significa que cada célula del último grupo de células producidas por meiosis tiene la mitad del número de cromosomas de la célula progenitora inicial luego.

El cuadro de la figura 2–6 muestra la relación entre los descubrimientos de Sutton sobre los cromosomas y las con-clusiones de Mendel sobre los factores hereditarios o genes. ¿Puedes ver en este cuadro qué llevó a Sutton a la conclusión de que los cromosomas deben ser los portadores de los genes?

Cromosomas sexuales

En 1907, el zoólogo norteamericano Thomas Hunt Morgan comenzó sus propios estudios de genética. Hizo experimentos con un insecto minúsculo llamado mosca de la fruta. Tal vez hayas visto estas moscas revoloteando sobre las frutas y las hortalizas en alguna verdulería o mercado. Morgan decidió estudiar las moscas de la fruta por tres razones. Primero, son fáciles de criar; segundo, producen

Figura 2–5 *Durante el proceso de meiosis, la célula masculina o la femenina se divide dos veces y forma células sexuales (espermatozoides y óvulo) que contienen la mitad del número normal de cromosomas. Los cuerpos polares se desintegran, con lo cual queda un solo óvulo.*

Pozo de actividades

Modelo de la meiosis, p. 106

Figura 2–6 *Este cuadro muestra cómo se puede confirmar la teoría cromosómica de la herencia comparando las investigaciones de Mendel y Sutton. ¿Qué es la teoría cromosómica?*

COMPARACIÓN DE LOS DESCUBRI-MIENTOS DE MENDEL Y SUTTON

Factores de Mendel (genes)	Cromosomas de Sutton
Los genes vienen en pares	Los cromosomas vienen en pares
Los genes de un par se separan	Los cromosomas se separan
Las células sexuales contienen un gene de cada par de genes	Las células sexuales contienen la mitad del número normal de cromosomas

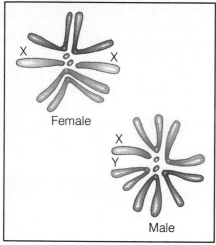

X X

Female

X
Y

Male

Figure 2-7 *A fruit fly, shown here magnified ten times, has four pairs of chromosomes. A female fruit fly has two X chromosomes. A male fruit fly has one X and one Y chromosome. What are the X and Y chromosomes called?*

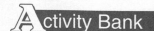

Activity Bank

Stalking the Wild Fruit Fly, p.108

new generations of offspring very quickly. Third, their body cells have only four pairs of chromosomes (eight chromosomes), making them easy to study.

Morgan quickly discovered something strange about the fruit flies' four pairs of chromosomes. In female fruit flies, the chromosomes of each pair were the same shape. In males, however, the chromosomes of one pair were not the same shape. One chromosome of the pair was shaped like a rod, and the other chromosome of the pair was shaped like a hook. Morgan called the rod-shaped chromosome the X chromosome and the hook-shaped chromosome the Y chromosome.

After performing a number of experiments and analyzing his results, Morgan discovered that the X and Y chromosomes determine the sex of an organism. For this reason, the X and Y chromosomes are called **sex chromosomes.** In general, an organism (such as a fruit fly or a human) that has two X chromosomes (XX) is a female. An organism that has one X chromosome and one Y chromosome (XY) is a male. There are some exceptions to this general rule. Female birds, for example, have an X chromosome and a Y chromosome instead of two X chromosomes. Based on this information, can you predict what sex chromosomes are found in male birds?

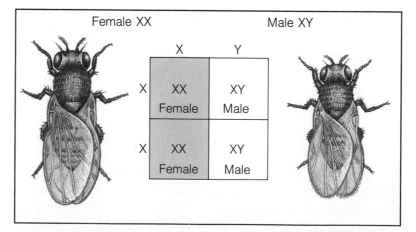

Figure 2-8 *You can see from the drawings of the male and female fruit flies that they have some physical differences. The Punnett square shows the probable sex of their offspring.*

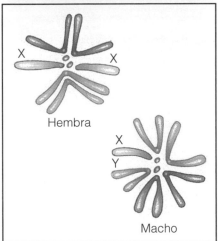

Hembra

Macho

Figura 2–7 *La mosca de la fruta, ampliada 10 veces en esta fotografía, tiene cuatro pares de cromosomas. La hembra de la mosca de la fruta tiene dos cromosomas X. El macho tiene un cromosoma X y un cromosoma Y. ¿Cómo se llaman los cromosomas X e Y?*

Pozo de actividades

Observación de la mosca de la fruta, p. 108

nuevas generaciones de descendientes muy rápido, y tercero, sus células somáticas sólo tienen 4 pares de cromosomas (8 cromosomas en total), lo que las hace fáciles de estudiar.

Morgan descubrió rápidamente algo muy extraño acerca de los cuatro pares de cromosomas de la mosca de la fruta. En la hembra, los cromosomas de cada par tenían la misma forma. En los machos, en cambio, los cromosomas de uno de los pares no tenían la misma forma. Uno de los cromosomas del par tenía forma de bastón y el otro tenía forma de gancho. Morgan llamó al cromosoma de forma de bastón cromosoma X y al que tenía forma de gancho, cromosoma Y.

Después de hacer varios experimentos y analizar los resultados, Morgan descubrió que los cromosomas X e Y determinaban el sexo de un organismo. Por esta razón, los cromosomas X e Y se llaman **cromosomas sexuales**. En general, el organismo (como la mosca de la fruta o el ser humano), que tiene dos cromosomas X (XX) es femenino. El organismo que tiene un cromosoma X y un cromosoma Y (XY) es masculino. Hay algunas excepciones a esta regla general. En los pájaros, por ejemplo, las hembras tienen un cromosoma X y un cromosoma Y en lugar de dos cromosomas X. Basándote en esta información, ¿podrías predecir cuáles son los cromosomas sexuales en los pájaros machos?

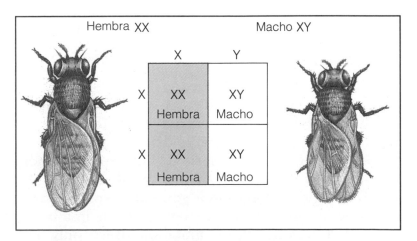

Figura 2–8 *Puedes ver en este dibujo que, en la mosca de la fruta, hay algunas diferencias físicas entre el macho y la hembra. El cuadro de Punnett muestra el sexo probable de sus descendientes.*

2–1 Section Review

1. State the chromosome theory of heredity. What is the main role of chromosomes in heredity?
2. What is meiosis?
3. Why are the X and Y chromosomes called the sex chromosomes?

Critical Thinking—*Sequencing Events*

4. In your own words, describe the sequence of steps in the process of meiosis. How does this process explain Mendel's law of segregation?

2–2 Mutations

In 1886, the Dutch botanist Hugo De Vries (duh-VREEZ) made an accidental discovery. The results of his discovery would take the science of genetics beyond the ground-breaking work of Gregor Mendel. De Vries was out walking one day when he came across a group of flowers called American evening primroses. As with Mendel's pea plants, some primroses appeared very different from others. De Vries wondered why this was so. He bred the primroses and got results similar to the results of Mendel's experiments with pea plants. But he also found that every once in a while, new variations appeared among the primroses—variations that could not be explained by the laws of genetics at that time.

Genetic Mistakes

De Vries called the sudden changes he observed in the characteristics of primroses **mutations.** Mutations are genetic mistakes that can affect the way in which traits are inherited. The word mutation comes from a Latin word that means change. **A mutation is a change in a gene or chromosome.** If a gene or chromosome mutation occurs in a body cell such as a skin cell, the mutation affects only the organism that carries it. But if a mutation takes place in a sex cell, that mutation can be passed on to

Guide for Reading

Focus on this question as you read.

▶ *What are mutations?*

Figure 2–9 *In chromosome mutations, part of a chromosome may be lost (top), turned around (center), or become attached to a different chromosome (bottom). What may happen if one of these mutations takes place in a sex cell?*

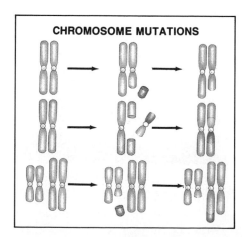

CHROMOSOME MUTATIONS

2–2 Las mutaciones

En 1886, el botánico holandés Hugo De Vries hizo un descubrimiento accidentalmente. Gracias a ese descubrimiento, la ciencia de la genética avanzaría mucho más allá de las investigaciones de Gregorio Mendel. Un día, De Vries vio, mientras paseaba, un grupo de prímulas americanas. Como en el caso de las plantas de guisantes de Mendel, algunas de estas flores eran muy distintas de las demás. De Vries quiso averiguar por qué. Cultivó las prímulas y obtuvo resultados similares a los de Mendel con los guisantes. Pero también descubrió que, de vez en cuando, aparecían nuevas variaciones en las prímulas, variaciones que las leyes de la genética conocidas en esa época no podían explicar.

Errores genéticos

De Vries llamó **mutaciones** a los cambios imprevistos que había observado en las características de las prímulas. Las mutaciones son errores genéticos que pueden afectar la forma en que se heredan los rasgos. La palabra mutación se deriva de una palabra latina que significa cambio. **Las mutaciones son cambios en los genes o en los cromosomas.** Si la mutación del gen o el cromosoma ocurre en las células del cuerpo, como las células epiteliales (de la piel), afecta sólo al organismo portador. Pero si ocurre en las células sexuales, esa mutación puede ser transmitida a un descendiente y

Guía para la lectura

Piensa en esta pregunta mientras lees.

▶ *¿Qué son las mutaciones?*

Figura 2–9 *En las mutaciones cromosómicas, parte de un cromosoma puede perderse (arriba), invertirse (centro) o adherirse a otro cromosoma (abajo). ¿Qué pasa si una de esas mutaciones ocurre en una célula sexual?*

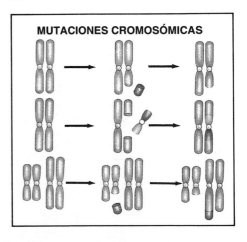

MUTACIONES CROMOSÓMICAS

Figure 2–10 *The striking appearance of this buck, or male deer, is the result of a mutation in coat color. The white baby alligator (shown with a normal baby alligator) is also the result of a mutation. What is a mutation?*

an offspring. The mutation may then cause a change in the characteristics of the next generation.

Harmful Mutations

Many mutations are harmful; that is, they reduce an organism's chances for survival or reproduction. For example, one mutation in a gene causes a serious human blood disease called sickle cell anemia. Sickle cell anemia results in red blood cells that are shaped like a crescent moon (or like a sickle, which is a farm tool used to cut grain). Red blood cells normally carry oxygen to the body cells. People who have two genes for sickle cell anemia have difficulty obtaining enough oxygen because the sickle-shaped red blood cells cannot carry enough of this vital gas to all the cells in the body. Sickle cell anemia also causes severe pain, because the sickle-shaped cells may clump together and clog tiny blood vessels. If left untreated, sickle cell anemia may cause death.

Helpful Mutations

Not all mutations are harmful. Some mutations are helpful and improve an organism's chances for survival. Other mutations are considered "helpful" because they cause desirable traits in organisms that are useful to humans. For example, when mutations occur in crop plants, the crops may become more useful to people. A gene mutation in potatoes produced a new variety,

Figura 2–10 *El extraordinario aspecto de este antílope macho es el resultado de una mutación del color del pelo. La cría de caimán albina (que aparece en la fotografía junto a una cría normal) es también el resultado de una mutación. ¿Qué es una mutación?*

causar un cambio en las características de la generación que le sigue.

Mutaciones dañinas

Muchas mutaciones son dañinas, es decir, limitan las probabilidades de un organismo de sobrevivir o reproducirse. Por ejemplo, en los seres humanos, una mutación genética causa una grave enfermedad de la sangre llamada anemia de células falciformes. Esta anemia hace que los glóbulos rojos tengan forma de medialuna (o de hoz, que es una herramienta agrícola para segar el trigo). Los glóbulos rojos normalmente llevan oxígeno a las células del cuerpo. En las personas que tienen dos genes de la anemia de células falciformes, los glóbulos rojos no pueden transportar una cantidad suficiente de este gas vital a todas las células. Esta enfermedad causa también intensos dolores, porque los glóbulos rojos deformados pueden amontonarse y obs-truir los pequeños vasos sanguíneos. Esta anemia puede causar la muerte si el enfermo no recibe tratamiento.

Mutaciones beneficiosas

No todas las mutaciones son dañinas. Algunas son útiles y aumentan las probabilidades de supervivencia de un organismo. Otras mutaciones se consideran "beneficiosas" porque producen rasgos deseables en organismos que son útiles para los seres humanos. Por ejemplo, cuando ocurren mutaciones en los cultivos, éstos pueden resultar más útiles para la gente. Una mutación genética en las papas dio por resultado una nueva variedad, llamada papa

called the Katahdin potato. This potato is resistant to diseases that attack other varieties. The new potato also looks and tastes better than other types of potatoes. Seedless navel oranges are also the result of a mutation. These oranges are sweeter and juicier than ordinary oranges with seeds.

It may seem to you that mutations produce only helpful or harmful traits. However, this is not so. Many mutations are neutral and do not produce any obvious changes in an organism. Still other mutations are lethal, or deadly, and result in the immediate death of an organism.

Mutagens

Mutations may occur spontaneously (that is, on their own) or they may be caused by some factor in the environment. Factors that cause mutations, such as radiation and certain chemicals, are **mutagens.** Mutagens can be harmful to living things. For example, ultraviolet radiation from the sun damages the genes in skin cells and may cause skin cancer. But mutagens can also be helpful. In fact, scientists have used radiation to sterilize insect pests to prevent them from reproducing. This method was tried in California to control an invasion of the Mediterranean fruit fly, or medfly, which was damaging valuable crop plants.

Mutagens can also be used to speed up the rate of mutations. This technique is often used with

Figure 2–11 *A mutation has left this frog with six legs. These sweet and juicy navel oranges are also the result of a mutation.*

ACTIVITY
THINKING

The California Medfly Controversy

The Mediterranean fruit fly, or medfly, is a serious threat to crops in California. State agricultural officials have tried many ways to solve the medfly problem. One method is to spray pesticides that kill the fruit flies. Many citizens' organizations have opposed widespread spraying in their communities. Using newspapers or other reference materials, find out more about this controversy. Form two teams in your class to debate this issue.

de Katahdin. Esta papa es resistente a enfermedades que atacan a otras variedades y también tiene mejor aspecto y gusto que otras clases de papas. Las naranjas de ombligo sin semilla también son el resultado de una mutación; son más dulces y jugosas que las naranjas comunes con semilla.

Tal vez te parezca que las mutaciones producen únicamente caracteres beneficiosos o dañinos. Sin embargo, esto no es cierto. Muchas mutaciones son neutras y no producen ningún cambio evidente en un organismo. En cambio, hay mutaciones que son letales, o mortíferas, y causan la muerte inmediata del organismo.

Mutágenos

Las mutaciones pueden ocurrir espontáneamente (es decir, por su cuenta) o pueden ser causadas por algún factor del medio ambiente. Los factores que causan mutaciones, como las radiaciones y ciertas sustancias químicas, se llaman **mutágenos**. Los mutágenos pueden ser dañinos para los seres vivientes. Por ejemplo, la radiación solar ultravioleta daña los genes de las células epiteliales y puede causar cáncer de la piel. Sin embargo, los mutágenos también pueden ser beneficiosos. Es más, los científicos han utilizado radiaciones para esterilizar plagas de insectos a fin de evitar que se reproduzcan. Este método se ensayó en California para controlar una invasión de la mosca del Mediterráneo, que estaba causando grandes daños a los cultivos.

Los mutágenos también pueden utilizarse para acelerar las mutaciones. Esta técnica suele utilizarse con

Figura 2–11 *Esta rana tiene seis patas debido a una mutación. Estas naranjas de ombligo dulces y jugosas son también el resultado de una mutación.*

Actividad

PARA PENSAR

La controversia de la mosca del Mediterráneo en California

La mosca del Mediterráneo es una amenaza para los cultivos en California. Funcionarios agrícolas del estado han ensayado muchos métodos para resolver esto. Uno consiste en rociar los cultivos con plaguicidas para matar a esos insectos. Muchas organizaciones cívicas se han opuesto al rociamiento generalizado de los cultivos en sus comunidades. Consulta periódicos y otras fuentes para obtener más información sobre esta controversia. Forma dos equipos en tu clase para debatir esta cuestión.

A **plant breeder** is a scientist who tries to improve plants through genetic methods. Plant breeders may try to improve forests by changing the hereditary information passed on from one generation of trees to the next. Or they may try to develop new crop plants with more desirable traits.

Plant breeders are employed by colleges and universities, government agencies, and the lumber industry, as well as by seed, food, and drug companies. If you are interested in plants, or enjoy growing plants, you may want to learn more about a career as a plant breeder. For more information, write to the U.S. Department of Agriculture, Science and Education, 6505 Belcrest Road, Hyattsville, MD 20782.

Figure 2–12 *Some damaging oil spills can be cleaned up through the use of mutant oil-eating bacteria (inset).*

bacteria. Because bacteria reproduce so rapidly, the use of mutagens increases the chances of producing helpful mutations in the bacteria. Mutant bacteria that can digest oil and are thus useful in cleaning up some oil spills have been produced in this way.

2–2 Section Review

1. What is a mutation? Why are some mutations harmful? Why are some helpful? Give an example of each type of mutation.
2. What is a mutagen? What are some ways in which mutagens are used?
3. Why are mutations that do not occur in sex cells not passed on to future generations?

Connection—*Environmental Science*
4. How can a particular mutation be helpful in preventing environmental pollution?

Figura 2–12 *Se pueden utilizar bacterias mutantes que digieren petróleo para limpiar algunos derrames que causan grandes daños al medio ambiente.*

las bacterias. Como las bacterias se reproducen muy rápido, el uso de mutágenos aumenta las probabilidades de producir mutaciones útiles en ellas. Con esta técnica se han obtenido bacterias mutantes que pueden digerir petróleo y son útiles para limpiar algunos derrames de petróleo.

2–2 Repaso de la sección

1. ¿Qué son las mutaciones? ¿Por qué son dañinas algunas mutaciones? ¿Por qué algunas son útiles? Da un ejemplo de cada tipo de mutación.
2. ¿Qué son los mutágenos? ¿Cómo se utilizan?
3. ¿Por qué no se transmiten a las generaciones siguientes las mutaciones que no ocurren en las células sexuales?

Conexión—*Ecología*
4. ¿Cómo puede servir una mutación determinada para evitar la contaminación ambiental?

CONNECTIONS

Making Mutant Mosquitoes

Ever since Thomas Hunt Morgan's experiments with fruit flies, geneticists have used these fast-breeding insects in their research. Today, some researchers are looking at another insect pest as a subject of genetic experiments.

Mosquitoes are responsible for the spread of many diseases, including malaria, encephalitis, and yellow fever. In the past, these diseases were usually attacked by using pesticides to wipe out populations of the disease-carrying mosquitoes or by draining the wetlands where the mosquitoes breed. But both of these approaches resulted in environmental problems. Then in the 1970s, scientists tried to alter the mosquito populations instead of completely eliminating them. They used large doses of radiation to sterilize male malaria-carrying mosquitoes so they would be unable to produce offspring. The scientists hoped that when the laboratory-bred sterilized males were released into the wild, they would mate with wild female mosquitoes. After mating with the sterilized males, the female mosquitoes would not produce offspring, and the mosquito population would decrease.

Unfortunately, these sterilization efforts were only partially successful. One reason was that the doses of radiation used were too large. Instead of just making the mosquitoes sterile, the radiation almost killed them and prevented them from mating at all. Another reason was that when the laboratory-bred male mosquitoes were released into the wild, they were unable to attract wild female mosquitoes!

Scientists have now begun to look for ways to alter only the disease-causing genes, leaving the mosquitoes' other traits untouched. Several laboratories in the United States are trying to map all the genes on the three chromosomes of *Aedes aegypti,* the mosquito which carries the virus that causes yellow fever. They have succeeded in locating several genes that are responsible for the mosquitoes' ability to transmit the disease. The results of these experiments may one day allow scientists to alter the inherited traits of specific mosquito populations and make the mosquitoes incapable of transmitting human diseases.

CONEXIONES

Mosquitos mutantes

Desde que Thomas Hunt Morgan hizo sus experimentos con la mosca de la fruta, los genetistas han utilizado estos insectos, que se reproducen rápidamente, en sus investigaciones. En la actualidad, algunos investigadores están considerando la posibilidad de utilizar otro insecto, que también es una plaga, en sus experimentos genéticos.

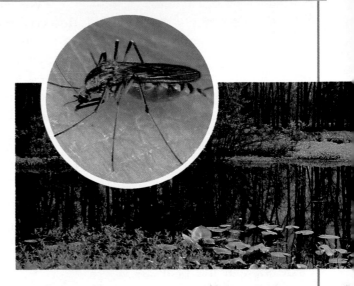

Los mosquitos son responsables de muchas enfermedades, como el paludismo, la encefalitis y la fiebre amarilla. En el pasado, se luchaba contra estas enfermedades utilizando plaguicidas para eliminar las poblaciones de mosquitos que transmitían enfermedades, o drenando las zonas pantanosas donde se reproducían. Pero ambos métodos causaron problemas ambientales. Al fin, en los años setenta, los científicos trataron de modificar las poblaciones de mosquitos en lugar de eliminarlas por completo. Con grandes dosis de radiaciones esterilizaron en el laboratorio mosquitos machos portadores del virus del paludismo, para que no se pudieran reproducir. Tenían la esperanza de que los machos esterilizados se aparearían con hembras silvestres cuando se los pusiera en libertad. Al aparearse con machos esterilizados, las hembras no producirían descendientes y la población de mosquitos disminuiría.

Desgraciadamente, estos métodos de esterilización no dieron mucho resultado. Esto se debió a que las dosis de radiación utilizadas eran demasiado grandes y en lugar de esterilizar a los mosquitos, los dejaban casi muertos e incapaces de reproducirse. ¡Además, los mosquitos machos criados en el laboratorio, al ser puestos en libertad, no podían atraer a las hembras silvestres!

Los científicos están tratando ahora de encontrar la forma de modificar únicamente los genes que causan enfermedades sin alterar las otras características de los mosquitos. Varios laboratorios de los Estados Unidos están tratando de hacer un mapa de todos los genes de los tres cromosomas del *Aedes aegypti,* el mosquito portador del virus de la fiebre amarilla. Han logrado localizar varios de los genes que hacen que el mosquito pueda transmitir esa enfermedad. Es posible que los resultados de estos experimentos permitan algún día a los científicos modificar los rasgos heredados de determinadas poblaciones de mosquitos a fin de que no puedan transmitir enfermedades a los seres humanos.

ACTIVITY READING

Discovering the Discoverers

James Watson's book *The Double Helix* provides an inside look at the process of scientific discovery.

Figure 2–13 *James Watson (left) and Francis Crick (right) are shown in front of their model of a DNA molecule. What do the letters DNA stand for?*

2–3 The DNA Molecule

"We wish to suggest a structure for the salt of deoxyribose nucleic acid." So began a letter written to a scientific journal by two scientists in 1953. What followed in this letter was a description of the spiral-shaped structure of a molecule that would help unlock the deepest secrets of genetics. This molecule is called **DNA.** DNA stands for **deoxyribonucleic** (dee-AHKS-ih-right-boh-noo-KLEE-ihk) **acid.** The two scientists who wrote the letter were the American biologist James Watson and the British physicist Francis Crick. In 1962, Watson and Crick (along with another British scientist, Maurice Wilkins) shared the Nobel prize for physiology or medicine for their work on the structure of DNA.

The Search for the Genetic Code

The DNA molecule is the basic substance of heredity. **DNA stores and passes on genetic information from one generation to the next.** Many scientists believe that the discovery of the structure of DNA was the most important biological breakthrough of the twentieth century.

Several scientists were involved in research on the structure of the DNA molecule. The British scientist Rosalind Franklin, working with Maurice Wilkins, managed to gather large amounts of DNA fibers. When she aimed X-rays at the DNA, she obtained patterns such as the one shown in Figure 2–14. The pattern in these X-ray photographs provided Watson and Crick with important clues about how the DNA molecule was put together. Using models, they were able to come up with a structure for DNA that matched the pattern in Rosalind Franklin's X-ray photographs.

Finding the structure of DNA allowed scientists to crack the genetic code. Watson and Crick's discovery showed that chromosomes are made up of long strands of DNA molecules. It is the DNA molecules in chromosomes that make up the genes. So DNA actually controls the production of the proteins that determine all of the traits passed on from parents to their offspring. You may be wondering

ACTIVIDAD

PARA LEER

Descubramos a los descubridores

En el libro titulado *The Double Helix* de James Watson encontrarás una descripción detallada del proceso de descubrimiento científico.

Figura 2–13 *En esta fotografía, James Watson (izquierda) y Francis Crick (derecha) aparecen frente a un modelo de la molécula de ADN diseñado por ellos mismos. ¿Qué significa el ADN?*

2–3 La molécula de ADN

"Deseamos proponer una estructura para la sal de ácido desoxirribonucleico." Así comenzaba una carta dirigida a una publicación científica por dos hombres de ciencia en 1953. La carta contenía una descripción de la estructura en forma de espiral de una molécula que ayudaría a desentrañar los secretos más profundos de la genética. Esta molécula se llama **ADN**. ADN significa **ácido desoxirribonucleico**. Los dos científicos que escribieron la carta eran el biólogo norteamericano James Watson y el físico británico Francis Crick. En 1962, Watson y Crick (junto con otro científico británico, Maurice Wilkins) compartieron el Premio Nobel de fisiología y medicina por sus investigaciones sobre la estructura del ADN.

Búsqueda del código genético

La molécula de ADN es la sustancia básica de la herencia. **El ADN almacena y transmite la información genética de una generación a la siguiente.** Muchos científicos consideran que el descubrimiento de la estructura del ADN ha sido el avance más importante del siglo XX en el campo de la biología.

Varios científicos participaron en las investigaciones sobre la estructura de la molécula de ADN. La científica británica Rosalind Franklin, que trabajaba con Maurice Wilkins, consiguió obtener grandes cantidades de filamentos de ADN. Al hacer radiografías del ADN, obtuvo imágenes como las que aparecen en la figura 2–14. Las imágenes obtenidas en esas radiografías dieron a Watson y a Crick pistas importantes sobre la estructura de la molécula de ADN. Utilizando modelos, lograron diseñar una estructura del ADN que coincidía con las imágenes obtenidas por Rosalind Franklin en sus radiografías.

El descubrimiento de la estructura del ADN permitió a los científicos descifrar el código genético. Watson y Crick descubrieron que los cromosomas están compuestos de largos filamentos de moléculas de ADN. Estas moléculas de ADN de los cromosomas son el material del que están hechos los genes. Así pues, el ADN en realidad controla la producción de las proteínas que determinan todos los rasgos que los progenitores transmiten a sus descendientes. Tal vez te interesará saber por qué Rosalind Franklin,

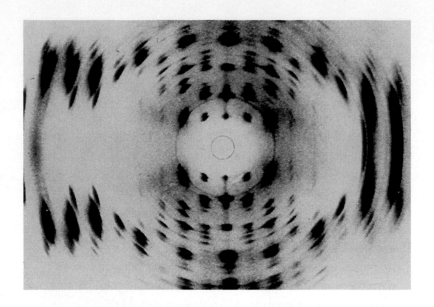

Figure 2–14 *Images of DNA similar to the one shown in this X-ray diffraction photograph helped Watson and Crick discover the structure of the DNA molecule.*

why Rosalind Franklin, whose research played an important part in unlocking the structure of DNA, did not share the 1962 Nobel prize with Watson, Crick, and Wilkins. The reason is that Franklin died in 1958, and Nobel prizes are given only to living scientists.

The Structure of DNA

Figure 2–15 shows the structure of the DNA molecule. A DNA molecule looks like a twisted ladder, or spiral staircase. The sides of the ladder are made up of sugar molecules and phosphate groups (containing the elements hydrogen, phosphorus, and oxygen). The steps, or rungs, of the ladder are formed by pairs of substances called nitrogen bases. Nitrogen bases are molecules that contain the element nitrogen, as well as other elements. There are four different nitrogen bases in DNA. They are adenine (AD-uh-neen), guanine (GWAH-neen), cytosine (SIGHT-oh-seen), and thymine (THIGH-meen). The capital letters A, G, C, and T are used to represent the four different bases.

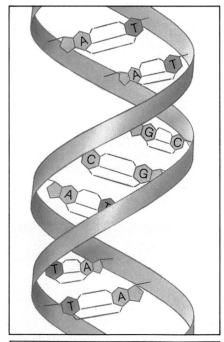

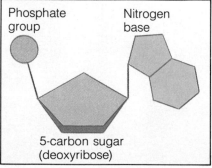

Phosphate group

Nitrogen base

5-carbon sugar (deoxyribose)

Figure 2–15 *This illustration shows the ladderlike structure of a DNA molecule (top). The DNA molecule is made up of smaller units consisting of a sugar, a phosphate group, and a nitrogen base (bottom). Which of these substances make up the sides of the DNA ladder?*

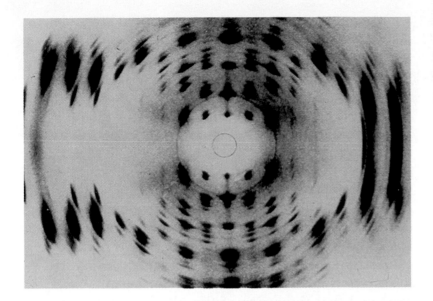

Figura 2–14 *Las imágenes del ADN como las que aparecen en esta fotografía, obtenida por difracción de rayos X, ayudaron a Watson y a Crick a descubrir la molécula de ADN.*

cuyas investigaciones fueron tan importantes para descubrir la estructura del ADN, no compartió el Premio Nobel con Watson, Crick y Wilkins en 1962. Esto se debió a que Franklin había fallecido en 1958, y el Premio Nobel sólo se concede a los científicos en vida.

Estructura del ADN

La figura 2–15 muestra la estructura de la molécula de ADN. Esta molécula se parece a una escalera de caracol. Los costados de la escalera están hechos de moléculas de azúcar y grupos de fosfatos (que contienen hidrógeno, fósforo y oxígeno). Los peldaños o escalones están compuestos de pares de sustancias llamadas bases nitrogenadas. Las bases nitrogenadas son moléculas que contienen nitrógeno y otros elementos. El ADN contiene cuatro bases nitrogenadas diferentes: adenina, guanina, citosina y timina. Para representar las cuatro bases nitrogenadas se utilizan las letras mayúsculas A, G, C y T.

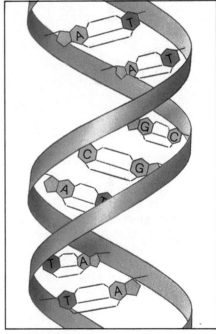

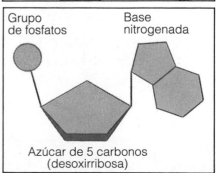

Grupo de fosfatos
Base nitrogenada
Azúcar de 5 carbonos (desoxirribosa)

Figura 2–15 *Esta ilustración muestra la estructura de la molécula de ADN (arriba), que se parece a una escalera. Esta molécula está formada por unidades más pequeñas que incluyen una molécula de azúcar, un grupo de fosfatos y una base nitrogenada (abajo). ¿Cuál de estas tres sustancias forman los costados de la escalera del ADN?*

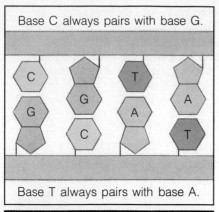

Base C always pairs with base G.

Base T always pairs with base A.

Figure 2–16 *In a DNA molecule, the nitrogen bases that make up the rungs of the ladder always combine in a specific way (top). Which nitrogen base always combines with thymine? The scientist is holding a flask that contains the nitrogen base cytosine. The cytosine is synthetic and was produced in the laboratory.*

As you can see in Figure 2–16, the two bases that make up each rung of the DNA ladder are combined in very specific ways. The American biochemist Erwin Chargaff had found that in any sample of DNA, the amount of adenine is always equal to the amount of thymine. The same is true for guanine and cytosine. Using these clues, Watson and Crick reasoned that in the DNA ladder, adenine (A) always pairs with thymine (T) and guanine (G) always pairs with cytosine (C).

A DNA ladder may contain hundreds or even thousands of rungs. So the DNA molecule that makes up a single chromosome may have hundreds or thousands of pairs of nitrogen bases. In addition to discovering DNA's structure, Watson and Crick reasoned that the order of the nitrogen bases on a DNA molecule determines the particular genes on a chromosome. That is why DNA is said to carry the genetic code. The genetic code is actually the order of nitrogen bases on the DNA molecule—for example, ACGGTTCAAG.

Because a DNA molecule can have many hundreds of bases arranged in any order, the number of different genes is almost limitless. Different genes produce different proteins. That is why living things on Earth can display such a wide variety of traits. Changing the order of only one pair of nitrogen bases in a DNA molecule can result in a new gene that determines a completely different trait. The sequences ATTCGG and TATCGG, for example, differ in the order of only two letters. Yet this small difference might be enough to change the genetic code and thereby produce two totally different proteins, resulting in different traits. In fact, most mutations are actually just a small change in the order of bases in a particular gene.

Cell Reproduction

As an organism grows and develops, the number of body cells must increase. In order for the total number of cells to increase and for the organism to grow, each cell must reproduce. A cell reproduces by dividing into two new cells. Each new cell, called a daughter cell, is identical to the parent cell. As a result, each body cell in an organism contains all the

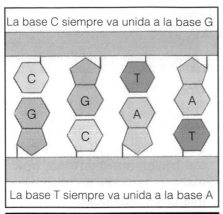

La base C siempre va unida a la base G

La base T siempre va unida a la base A

Figura 2–16 *En la molécula de ADN, las bases nitrogenadas que forman los peldaños de la escalera siempre se combinan de cierta manera (arriba). ¿Qué base nitrogenada se combina siempre con la timina? Este científico sostiene en sus manos un recipiente que contiene una base nitrogenada sintética (citosina) producida en el laboratorio.*

Como puedes ver en la figura 2–16, las dos bases que forman cada peldaño de la escalera del ADN se combinan en formas muy precisas. El bioquímico norteamericano Erwin Chargaff había comprobado que en cualquier muestra de ADN, la cantidad de adenina era siempre igual a la cantidad de timina. Lo mismo ocurría con la guanina y la citosina. Usando estos datos, Watson y Crick dedujeron que en la escalera del ADN, la adenina (A) siempre se unía a la timina (T) y la guanina (G) siempre se combinaba con la citosina (C).

La escalera del ADN puede tener cientos y hasta miles de peldaños. Así pues, la molécula de ADN que forma un solo cromosoma puede tener cientos o miles de pares de bases nitrogenadas. Además de descubrir la estructura del ADN, Watson y Crick dedujeron que el orden en que están dispuestas las bases nitrogenadas en una molécula de ADN determina qué genes existen en los cromosomas. Por eso se dice que el ADN transmite el código genético. El código genético es, en realidad, el orden en que aparecen las bases nitrogenadas en la molécula de ADN, por ejemplo, ACGGTTCAAG.

Dado que una molécula de ADN puede tener muchos cientos de bases dispuestas en cualquier orden, el número de genes es casi ilimitado. Los distintos genes producen proteínas diferentes. Por eso los seres vivientes del planeta pueden tener una variedad tan grande de rasgos. Si cambia el orden de tan sólo un par de bases nitrogenadas en una molécula de ADN, se puede formar un nuevo gene que determina un rasgo totalmente diferente. En las secuencias ATTCGG y TATCGG, por ejemplo, la única diferencia es el orden de sólo dos letras. Sin embargo, esta pequeña diferencia bastaría para cambiar el código genético y producir dos proteínas totalmente diferentes, que a su vez darían origen a rasgos diferentes. En realidad, la mayoría de las mutaciones consisten sólo en una pequeña variación del orden de las bases en un gene determinado.

Reproducción celular

A medida que un organismo crece y se desarrolla, el número de células somáticas debe aumentar. Para que el número total de células aumente y para que el organismo crezca, cada célula se debe reproducir. Las células se reproducen dividiéndose en dos. Cada nueva célula, llamada célula hija, es idéntica a la célula progenitora. En consecuencia, cada célula del cuerpo contiene toda la

2–4 How Chromosomes Produce Proteins

Guide for Reading

Focus on this question as you read.

▶ *What happens during the process of protein synthesis?*

Recall that chromosomes are made up of long strands of DNA molecules. The main function of chromosomes is to control the production of substances called proteins. Proteins are the substances in the body that are necessary for building and repairing cells. Most of the chemicals that control the body's vital functions are also proteins. For example, hormones such as insulin are proteins that act as the body's chemical messengers. Enzymes such as pepsin are proteins that speed up chemical reactions in the body. These and other proteins are made in the cytoplasm of cells. The cytoplasm is the material outside the cell nucleus.

Protein Synthesis

The production of proteins is called protein synthesis. (The word synthesis means to put together.) Proteins are long molecules that are made up of chains of smaller molecules called **amino acids.** Amino acids are the building blocks of proteins. There are 20 different amino acids that join together to form protein molecules. It is the job of the DNA molecules in chromosomes to control the order in which these 20 amino acids are put together to make a protein molecule. How does DNA do this?

RNA

Protein synthesis takes place in the cytoplasm of a cell, outside the nucleus. The chromosomes containing DNA are found only inside the nucleus. The first thing that is needed in protein synthesis, therefore, is a messenger to carry the genetic code from the DNA inside the nucleus to the cytoplasm outside the nucleus. This genetic messenger is called **ribonucleic acid,** or **RNA.** RNA is similar to DNA, but with some differences.

Unlike a DNA molecule, which looks like a twisted ladder, an RNA molecule looks like only one

ACTIVITY

WRITING

Essential Amino Acids

The thousands of proteins in your body are built from 20 amino acids. However, your body can make only 12 of these amino acids. You must get the other 8 from the foods you eat. These 8 amino acids are called essential amino acids. Use library references to find out which of the 20 amino acids are essential amino acids. What foods must you include in your diet to make sure you get enough of these essential amino acids? Write a report of your findings.

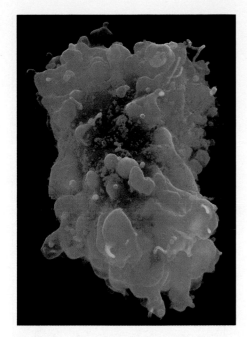

Figura 2–20 *En esta fotografía de un glóbulo blanco humano, las pequeñas manchas azules son virus del SIDA. ¿Dónde están ubicados los genes en el virus del SIDA?*

formada por una sola barandilla, o filamento, de la escalera. El ARN también contiene una molécula de azúcar distinta de la que se encuentra en el ADN. Las bases nitrogenadas del ADN y el ARN también son diferentes. Recordarás que las cuatro bases nitrogenadas del ADN son la adenina, la guanina, la citosina y la timina. El ARN también contiene adenina, guanina y citosina. Pero en lugar de timina, el ARN contiene uracilo. Ciertos virus (incluido el virus del SIDA), contienen sólo ARN. En estos virus, los genes no se encuentran en las moléculas de ADN sino en las moléculas de ARN.

Traducción del código genético

¿Cómo traduce una molécula de ARN el código genético de una molécula de ADN? Observa la figura 2–21. Como en la replicación, primero se desprenden los pares de bases nitrogenadas de la molécula de ADN. Luego cada filamento de la molécula de ADN guía la producción de un filamento complementario de ARN. En otras palabras, la estructura del filamento de ADN determina la estructura

Figura 2–21 *Esta ilustración muestra cómo la molécula de ARN lee el código genético de una molécula de ADN. ¿Cuál es la base nitrogenada que se encuentra sólo en el ARN?*

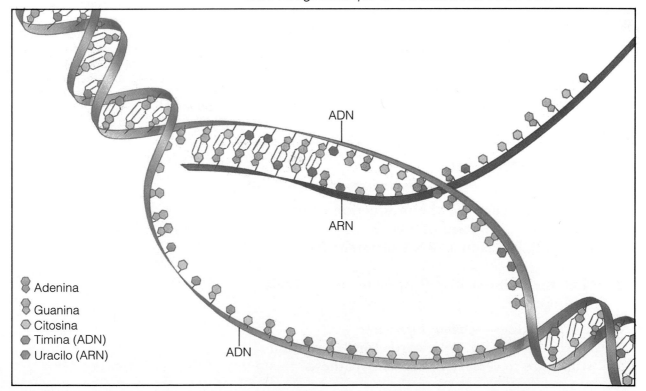

Adenina
Guanina
Citosina
Timina (ADN)
Uracilo (ARN)

ADN

ARN

ADN

structure of the RNA strand. In the RNA strand, cytosine (C) joins with guanine (G), and adenine (A) joins with uracil (U) instead of thymine (T). Thus, the genetic information in the DNA strand is transferred to the RNA strand, which separates quickly from the DNA strand. The RNA molecule then carries the genetic information out of the nucleus and into the cytoplasm.

The genetic information that DNA transfers to RNA is in the form of a code made of three-letter code words. Each code word consists of three nitrogen bases—for example, AUG or ACA. There are 64 possible three-letter code words. Each three-letter code word specifies a particular amino acid to be added to the growing protein chain. Other code words function as "start" and "stop" signals. (AUG means "start"; UAA, UAG, and UGA mean "stop.")

The RNA molecule that carries the coded message for a specific protein does not actually produce the protein itself. Putting together the amino acids in a protein chain is the next step in protein synthesis, and it requires another form of RNA. This RNA molecule picks up the amino acids specified by the coded message and puts them into the correct order in the protein chain. A "start" code signals the beginning of the protein chain. As the amino acids line up in order, bonds form between them. When a "stop" code is reached, a complete protein molecule has been produced, and protein synthesis is complete.

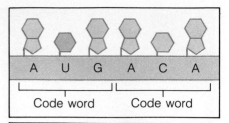

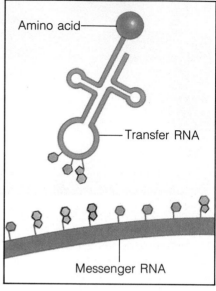

Figure 2–22 *Each combination of three nitrogen bases in a DNA molecule makes up a three-letter code word (top). These code words are copied onto a messenger RNA molecule. During protein synthesis, a transfer RNA molecule reads the code and begins putting together amino acids to make a protein chain (bottom).*

2–4 Section Review

1. What is the name for the production of proteins in the cytoplasm of a cell?
2. What is RNA? How is RNA different from DNA?
3. What are amino acids? How many amino acids are there?

Critical Thinking—*Making Inferences*
4. Why do you think code words for "start" and "stop" are necessary in protein synthesis?

del filamento de ARN. En el filamento de ARN, la citosina (C) se une a la guanina (G), y la adenina (A) se une al uracilo (U) en lugar de la timina (T). Así pues, la información genética contenida en el filamento de ADN se transfiere al filamento de ARN, que se separa rápidamente del filamento del ADN. La molécula de ARN transmite luego la información genética del núcleo al citoplasma.

La información genética que el ADN transmite al ARN es un código compuesto de palabras en clave de tres letras. Cada palabra representa tres bases nitrogenadas, por ejemplo, AUG o ACA. Hay 64 palabras posibles de tres letras. Cada una de esas palabras en clave indica el aminoácido que ha de añadirse a la cadena de proteínas en formación. Otras palabras en clave son instrucciones para "comenzar" y "parar." (AUG significa "comenzar"; UAA, UAG y UGA significan "parar.")

La molécula de ARN que transmite el mensaje en clave para formar una proteína determinada en realidad no produce esa proteína. El paso siguiente en la síntesis de proteínas consiste en combinar los aminoácidos en una cadena de proteína, para lo cual se necesita otra molécula de ARN. Esta molécula de ARN escoge los aminoácidos indicados en el mensaje en clave y los coloca en el orden correcto en la cadena de proteína. La cadena empieza a formarse con la palabra que da la instrucción de "empezar." A medida que los aminoácidos se colocan en orden, se forman vínculos entre ellos. Cuando se llega a la instrucción de "parar," se ha terminado de formar la molécula de proteína y ha concluido el proceso de síntesis.

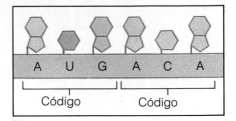

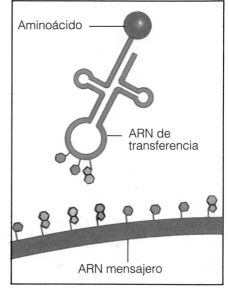

Figura 2–22 *Cada combinación de tres bases nitrogenadas en una molécula de ADN forma una palabra de tres letras (arriba). El ARN mensajero copia esas palabras. Durante la síntesis de proteínas, el ARN de transferencia lee la palabra y comienza a ordenar los aminoácidos para formar una cadena de proteína (abajo).*

2–4 Repaso de la sección

1. ¿Cómo se llama el proceso de producción de proteínas en el citoplasma de una célula?
2. ¿Qué es el ARN? ¿Qué diferencia hay entre el ARN y el ADN?
3. ¿Qué son los aminoácidos? ¿Cuántos aminoácidos hay?

Pensamiento crítico—*Hacer deducciones*

4. ¿Por qué crees tú que las instrucciones para "comenzar" y "parar" son necesarias en la síntesis de proteínas?

Laboratory Investigation

Observing the Growth of Mutant Corn Seeds

Problem

What is the effect of a mutation on the growth of corn plants?

Materials *(per group)*

10 albino corn seeds   string
10 normal corn seeds   tape
flower box   marking pen
potting soil

Procedure

1. Fill a flower box about three-fourths full of potting soil.

2. Use a piece of string to divide the flower box in half across the width of the box. Tape the ends of the string to the box to hold the string in place.

3. Label the right side of the box Albino. Label the left side of the box Normal.

4. On the right side of the box, plant each of the albino seeds about 1 cm below the surface of the soil. The seeds should be spaced about 1 cm apart. Water the soil.

5. On the left side of the box, plant each of the normal seeds as you did the albino seeds in step 4.

6. Place the flower box on a table near a window or on a windowsill where it will receive direct sunlight. Keep the soil moist. Observe the box every day for three weeks.

Observations

1. What was the total number of seeds that sprouted?

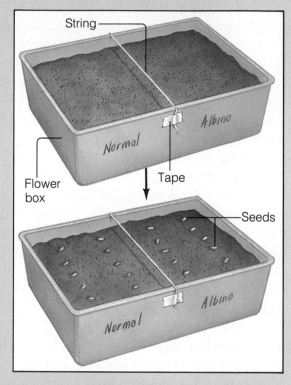

2. How many albino seeds sprouted? How many normal seeds?

3. What happened to the plants a week after they sprouted? Two weeks?

4. Describe the difference in appearance between the albino plants and the normal plants.

Analysis and Conclusions

1. Did the albino seeds grow as well as the normal seeds?

2. Which seeds, albino or normal, showed the mutation?

3. What effect did the mutation have on the growth of the corn plants?

4. **On Your Own** If you were a farmer, which corn plants—albino or normal— would you choose to grow for their desirable traits? Explain.

Investigación de laboratorio

Crecimiento de semillas mutantes de maíz

Problema
¿Qué efecto tiene una mutación en el crecimiento de las plantas de maíz?

Materiales *(para cada grupo)*

10 semillas de maíz albino
10 semillas de maíz común
cubeta
tierra para plantar
trozo de cuerda
cinta adhesiva
marcador

Procedimiento

1. Llena de tierra las tres cuartas partes de una cubeta.

2. Divide la cubeta en dos mitades utilizando un trozo de cuerda. Sujeta los extremos de la cuerda a la cubeta con cinta adhesiva.

3. A la derecha de la cubeta, escribe la palabra "albino." A la izquierda, escribe la palabra "común."

4. A la derecha, planta las semillas de maíz albino a 1 cm de profundidad y a una distancia de aproximadamente 1 cm unas de otras . Una vez plantadas las semillas, riégalas.

5. A la izquierda, planta las semillas de maíz común tal como plantaste antes las semillas de maíz albino.

6. Coloca la cubeta sobre una mesa, cerca de una ventana, o sobre el antepecho de una ventana donde estará expuesta directamente a la luz del sol. Debes mantener la tierra húmeda. Observa la cubeta todos los días durante tres semanas.

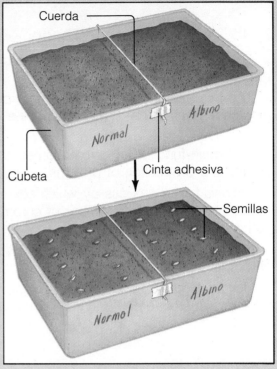

Observaciones

1. ¿Cuántas semillas germinaron en total?

2. ¿Cuántas semillas de maíz albino germinaron? ¿Cuántas de maíz común?

3. ¿Qué ocurrió con las plantas una semana después de la germinación? ¿Dos semanas después?

4. Describe las diferencias en el aspecto de las plantas de maíz albino y las de maíz común.

Análisis y conclusiones

1. ¿Crecieron las plantas de maíz albino tan bien como las de maíz común?

2. ¿En qué plantas (de maíz albino o de maíz común) apareció la mutación?

3. ¿Qué efecto tuvo la mutación en el crecimiento de las plantas de maíz?

4. **Por tu cuenta** Si cultivaras maíz, ¿qué plantas de maíz (albino o común) elegirías para plantar teniendo en cuenta sus características? Explica por qué.

Summarizing Key Concepts

2–1 The Chromosome Theory

▲ Chromosomes are rod-shaped structures in the nucleus of an organism's cells.

▲ The chromosome theory states that chromosomes carry genes, which determine hereditary traits.

▲ The main function of chromosomes is to control the production of proteins.

▲ Meiosis is the process by which sex cells receive half the normal number of chromosomes as the parent.

▲ The X and Y chromosomes are the sex chromosomes.

▲ Human females have two X chromosomes; human males have one X chromosome and one Y chromosome.

2–2 Mutations

▲ A mutation is a sudden change in an organism caused by a change in a gene or chromosome.

▲ A mutation that takes place in a sex cell may be passed on to offspring.

▲ Mutations may be helpful or harmful.

▲ Mutagens are factors in the environment that cause mutations.

2–3 The DNA Molecule

▲ DNA stores and passes on genetic information from one generation to the next.

▲ The shape of a DNA molecule resembles a twisted ladder or spiral staircase.

▲ The four nitrogen bases in DNA are adenine, guanine, cytosine, and thymine.

▲ Replication is the process by which DNA molecules make exact copies, or duplicates, of themselves.

2–4 How Chromosomes Produce Proteins

▲ The process by which proteins are produced is called protein synthesis.

▲ Proteins are made up of chains of amino acids.

▲ RNA is necessary in order for protein synthesis to take place.

▲ Instead of thymine, RNA contains the nitrogen base uracil.

Reviewing Key Terms

Define each term in a complete sentence.

2–1 The Chromosome Theory
chromosome
meiosis
sex chromosome

2–2 Mutations
mutation
mutagen

2–3 The DNA Molecule
DNA
deoxyribonucleic acid
replication

2–4 How Chromosomes Produce Proteins
amino acid
ribonucleic acid
RNA

Resumen de conceptos claves

2–1 La teoría cromosómica

▲ Los cromosomas son estructuras en forma de bastón que se encuentran en el núcleo de las células de un organismo.

▲ Según la teoría cromosómica, los cromosomas son los portadores de los genes que determinan los rasgos hereditarios.

▲ La principal función de los cromosomas es controlar la producción de proteínas.

▲ La meiosis es el proceso por el cual las células sexuales reciben la mitad del número normal de cromosomas de la célula progenitora.

▲ Los cromosomas sexuales son los cromosomas X e Y.

▲ La mujer tiene dos cromosomas X; el hombre tiene un cromosoma X y un cromosoma Y.

2–2 Las mutaciones

▲ Las mutaciones son cambios repentinos que se producen en un organismo debido a la variación de un gen o un cromosoma.

▲ Las mutaciones que ocurren en una célula sexual pueden transmitirse a los descendientes.

▲ Las mutaciones pueden ser beneficiosas o dañinas.

▲ Los mutágenos son factores ambientales que causan mutaciones.

2–3 La molécula de ADN

▲ El ADN almacena y transmite información genética de una generación a la siguiente.

▲ La molécula de ADN se parece a una escalera de caracol.

▲ Las cuatro bases nitrogenadas de la molécula de ADN son la adenina, la guanina, la citosina y la timina.

▲ La replicación es el proceso por el cual las moléculas de ADN hacen copias exactas o duplicados de sí mismas.

2–4 ¿Cómo producen proteínas los cromosomas?

▲ El proceso de producción de proteínas se llama síntesis de proteínas.

▲ Las proteínas están compuestas de cadenas de aminoácidos.

▲ El ARN es un elemento necesario para la síntesis de proteínas.

▲ En lugar de timina, el ARN contiene la base nitrogenada uracilo.

Repaso de palabras claves

Define cada palabra o palabras con una oración completa.

2–1 La teoría cromosómica
cromosoma
meiosis
cromosoma sexual

2–2 Las mutaciones
mutación
mutágeno

2–3 La molécula de ADN
ADN
acido desoxirribonucleico
replicación

2–4 Cómo producen proteínas los cromosomas
aminoácidos
acido ribonucleico
ARN

Chapter Review

Content Review

Multiple Choice

Choose the letter of the answer that best completes each statement.

1. The rod-shaped structures found in the nucleus of a cell are called
   a. genes.
   c. chromosomes.
   b. proteins.
   d. nitrogen bases.
2. The scientist who proposed the chromosome theory of heredity was
   a. Watson.
   c. Morgan.
   b. Crick.
   d. Sutton.
3. RNA molecules contain all of the following nitrogen bases except
   a. adenine.
   c. cytosine.
   b. guanine.
   d. thymine.
4. Mutations were discovered by
   a. Franklin.
   c. De Vries.
   b. Sutton.
   d. Morgan.
5. Proteins are made up of long chains of
   a. nitrogen bases.
   b. DNA molecules.
   c. amino acids.
   d. RNA molecules.
6. Which sex chromosomes would be found in the cells of a normal male fruit fly?
   a. XX
   c. YY
   b. XY
   d. XYY
7. The nitrogen base not found in DNA molecules is
   a. cytosine.
   c. uracil.
   b. thymine.
   d. guanine.

True or False

If the statement is true, write "true." If it is false, change the underlined word or words to make the statement true.

1. Proteins are produced through the process of <u>replication</u>.
2. Mutations that take place in body cells <u>can</u> be passed on to offspring.
3. In addition to nitrogen bases, DNA contains phosphate groups and <u>salt</u> molecules.
4. Sex cells have <u>twice</u> as many chromosomes as the parent's body cells.
5. A <u>lethal</u> mutation does not cause any obvious changes in an organism.
6. Genes are located on rod-shaped structures called <u>chromosomes</u>.
7. The nitrogen base uracil is found only in <u>DNA</u> molecules.
8. The process by which a DNA molecule makes a duplicate of itself is called <u>protein synthesis</u>.

Concept Mapping

Complete the following concept map for Section 2–1. Refer to pages E6–E7 to construct a concept map for the entire chapter.

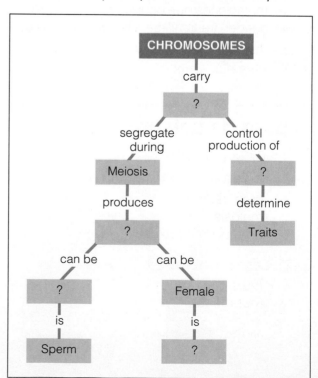

Repaso del capítulo

Repaso del contenido

Selección múltiple

Selecciona la letra de la respuesta que mejor complete cada frase.

1. Las estructuras en forma de bastón que se encuentran en el núcleo de una célula se llaman
   a. genes.
   b. proteínas.
   c. cromosomas.
   d. bases nitrogenadas.

2. El científico que propuso la teoría cromosómica de la herencia se llamaba
   a. Watson.
   b. Crick.
   c. Morgan.
   d. Sutton.

3. Las moléculas de ARN contienen todas estas bases nitrogenadas menos
   a. adenina.
   b. guanina.
   c. citosina.
   d. timina.

4. Las mutaciones fueron descubiertas por
   a. Franklin.
   b. Sutton.
   c. De Vries.
   d. Morgan.

5. Las proteínas están compuestas de largas cadenas de
   a. bases nitrogenadas.
   b. moléculas de ADN.
   c. aminoácidos.
   d. moléculas de ARN.

6. En la mosca de la fruta, ¿qué cromosomas sexuales habría en las células de un macho normal?
   a. XX
   b. XY
   c. YY
   d. XYY

7. La base nitrogenada que no existe en la molécula de ADN es
   a. la citocina.
   b. la timina.
   c. el uracilo.
   d. la guanina.

Verdadero o falso

Si la afirmación es verdadera, escribe "verdad." Si es falsa, cambia las palabras subrayadas para que sea verdadera.

1. Las proteínas se forman como resultado del proceso de <u>replicación</u>.

2. Las mutaciones que ocurren en las células somáticas <u>pueden</u> transmitirse a los descendientes.

3. Además de las bases nitrogenadas, el ADN contiene grupos de fosfatos y moléculas de <u>sal.</u>

4. Las células sexuales tienen el <u>doble</u> de cromosomas que las células somáticas de los progenitores.

5. Una mutación <u>letal</u> no causa ningún cambio evidente en el organismo.

6. Los genes se encuentran en estructuras en forma de bastón llamados <u>cromosomas</u>.

7. La base nitrogenada uracilo existe sólo en las moléculas de <u>ADN</u>.

8. El proceso por el cual una molécula de ADN hace una copia o duplicado de sí misma se llama <u>síntesis de proteínas</u>.

Mapa de conceptos

Completa el siguiente mapa de conceptos para la sección 2–1. Para hacer un mapa de conceptos de todo el capítulo, consulta las páginas E6–E7.

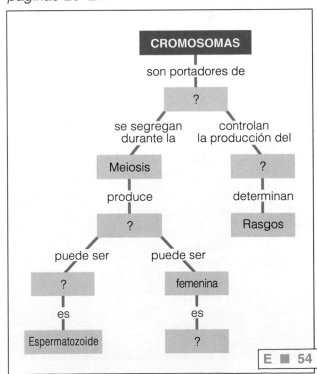

Concept Mastery

Discuss each of the following in a brief paragraph.

1. How is a molecule of RNA similar to a molecule of DNA? How are they different?
2. Describe the process of DNA replication. Why is replication necessary?
3. Explain how chromosomes determine the sex of an organism.
4. Describe the role of RNA in protein synthesis.
5. Why did Thomas Hunt Morgan choose to study fruit flies?
6. Explain how the X-ray photographs of DNA produced by Rosalind Franklin helped Watson and Crick to discover the structure of the DNA molecule.
7. Explain how mutagens can produce helpful or harmful mutations. Give specific examples.

Critical Thinking and Problem Solving

Use the skills you have developed in this chapter to answer each of the following.

1. **Applying concepts** If a woman developed skin cancer as a result of a gene mutation in the skin cells of her arm, could she pass the skin cancer gene on to her children? Explain.
2. **Relating concepts** Each body cell in a mouse contains 40 chromosomes. How many chromosomes did the mouse receive from each of its parents? How many chromosomes are present in the mouse's sex cells?
3. **Making inferences** A mutation caused one Bengal tiger in the photograph to be born white instead of orange like other Bengal tigers. Do you think this mutation would be helpful, harmful, or have no effect on the tiger? Explain.

4. **Relating facts** A DNA molecule always contains equal amounts of adenine and thymine, as well as equal amounts of guanine and cytosine. How did this fact lead to the conclusion that adenine always joins with thymine and guanine always joins with cytosine?
5. **Applying concepts** Write out the sequence of nitrogen bases that would be copied onto a strand of RNA from the following sequence of bases in a DNA strand: TTCTTTGTTCATGAACAT. Then write out this RNA sequence as a series of three-letter code words.
6. **Making calculations** Why are there only 64 possible three-letter code words that can be formed from the four nitrogen bases?
7. **Using the writing process** Suppose you could use a mutagen to produce a specific useful mutation in a particular organism. Which organism would you choose and why? How would that trait be desirable or useful? Write a brief essay explaining your choice.

Dominio de conceptos

Comenta cada uno de los puntos siguientes en un párrafo breve.

1. ¿En qué se parece una molécula de ARN a una molécula de ADN? ¿En qué se diferencia?
2. Describe el proceso de replicación del ADN. ¿Por qué es necesaria la replicación?
3. Explica cómo determinan los cromosomas el sexo de un organismo.
4. Describe la función del ARN en la síntesis de proteínas.
5. ¿Por qué decidió Thomas Hunt Morgan estudiar la mosca de la fruta?
6. Explica cómo las radiografías del ADN tomadas por Rosalind Franklin ayudaron a Watson y a Crick a descubrir la estructura de la molécula de ADN.
7. Explica cómo pueden los mutágenos causar mutaciones beneficiosas o dañinas. Da ejemplos concretos.

Pensamiento crítico y solución de problemas

Usa las destrezas que has desarrollado en este capítulo para resolver lo siguiente.

1. **Aplicar conceptos** Si una mujer tuviera cáncer de piel como resultado de una mutación genética en las células epiteliales del brazo, ¿podría transmitir el gene del cáncer de piel a sus hijos? Explica por qué.
2. **Relacionar conceptos** Cada célula somática del ratón contiene 40 cromosomas. ¿Cuántos cromosomas recibió el ratón de cada uno de sus progenitores? ¿Cuántos cromosomas existen en las células sexuales del ratón?
3. **Hacer deducciones** En lugar de tener pelaje anaranjado como otros tigres de Bengala, el tigre de la fotografía es albino a causa de una mutación. ¿Crees que esta mutación sería beneficiosa, dañina o no tendría ningún efecto en el tigre? Explica por qué.
4. **Relacionar hechos** Las moléculas de ADN siempre contienen cantidades iguales de adenina y timina, así como cantidades iguales de guanina y citosina. ¿Cómo se llegó a la conclusión de que la adenina siempre se une a la timina y la guanina a la citosina?
5. **Aplicar conceptos** Indica la secuencia de bases nitrogenadas que copiaría un filamento de ARN a partir de la siguiente secuencia de bases de un filamento de ADN: TTCTTTGTTCATGAACAT. Luego indica esta secuencia de ARN como una serie de palabras de tres letras.
6. **Hacer cálculos** ¿Por qué sólo se pueden formar 64 códigos posibles de tres letras con las cuatro bases nitrogenadas?
7. **Usar el proceso de la escritura** Supongamos que pudieras utilizar un mutágeno para causar una mutación beneficiosa en un organismo determinado. ¿Qué organismo elegirías y por qué? ¿Por qué sería ese rasgo deseable o útil? Explica tu elección por escrito.

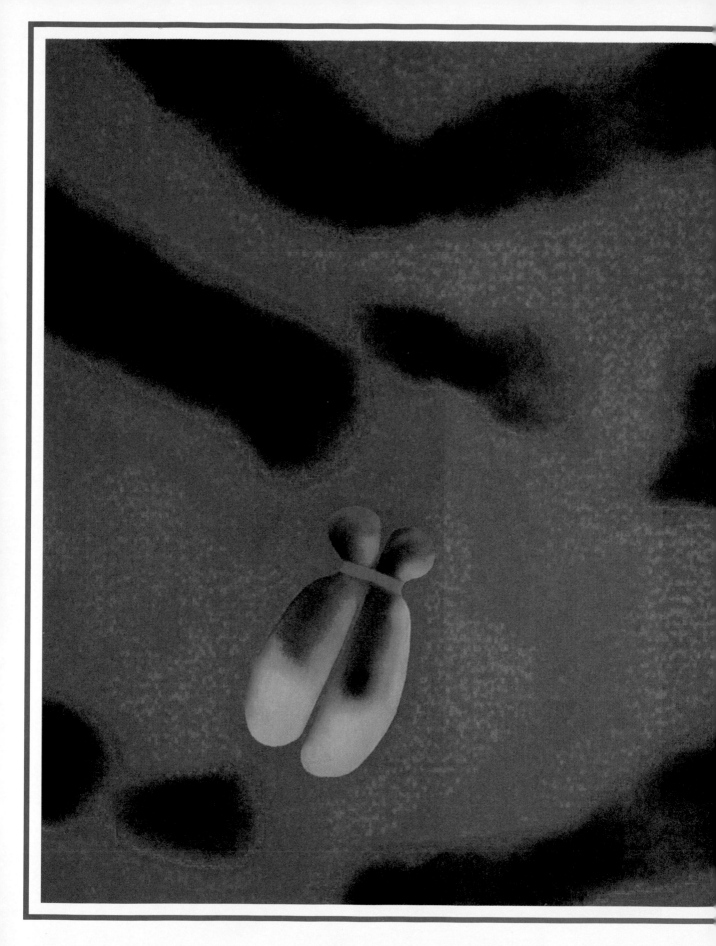

Human Genetics

Guide for Reading

After you read the following sections, you will be able to

3–1 Inheritance in Humans
- ■ Explain how the basic principles of genetics can be applied to human heredity.

3–2 Sex-linked Traits
- ■ Describe how sex-linked traits are inherited.

3–3 Human Genetic Disorders
- ■ Relate the process of nondisjunction to certain human genetic disorders.
- ■ Discuss the possibility of curing human genetic disorders.

Why are men and women different? Why aren't men more like women? Men and women have been asking these questions for thousands of years. Today, scientists know that the answers to these questions can be found in the chromosomes. Women have two X chromosomes. Men have an X chromosome and a Y chromosome. In 1959, scientists discovered that only a tiny portion of the Y chromosome determines that an unborn child will be a boy and not a girl. Since then, geneticists have been searching the Y chromosome, trying to pinpoint this "maleness" gene.

In the summer of 1990, two groups of British researchers announced that they had found what may be the "master gene" for maleness. The maleness gene seems to be a small piece of DNA on the Y chromosome that triggers the production of a protein called testosterone (tehs-TAHS-ter-ohn). Testosterone is a male sex hormone that controls the development of male characteristics, such as a deep voice and the ability to grow a beard. So a tiny piece of DNA is all that separates men from women. Or is it? Maybe science will never really be able to explain the difference between men and women!

Journal *Activity*

You and Your World Do you think men and women (or boys and girls) behave differently? In your journal, describe one or two ways in which you think a man and a woman might react differently in the same situation. If you can get two of your classmates to volunteer, you might want to test your prediction.

◀ *The maleness gene is highlighted in pink in this computer-enhanced photograph of a human Y chromosome.*

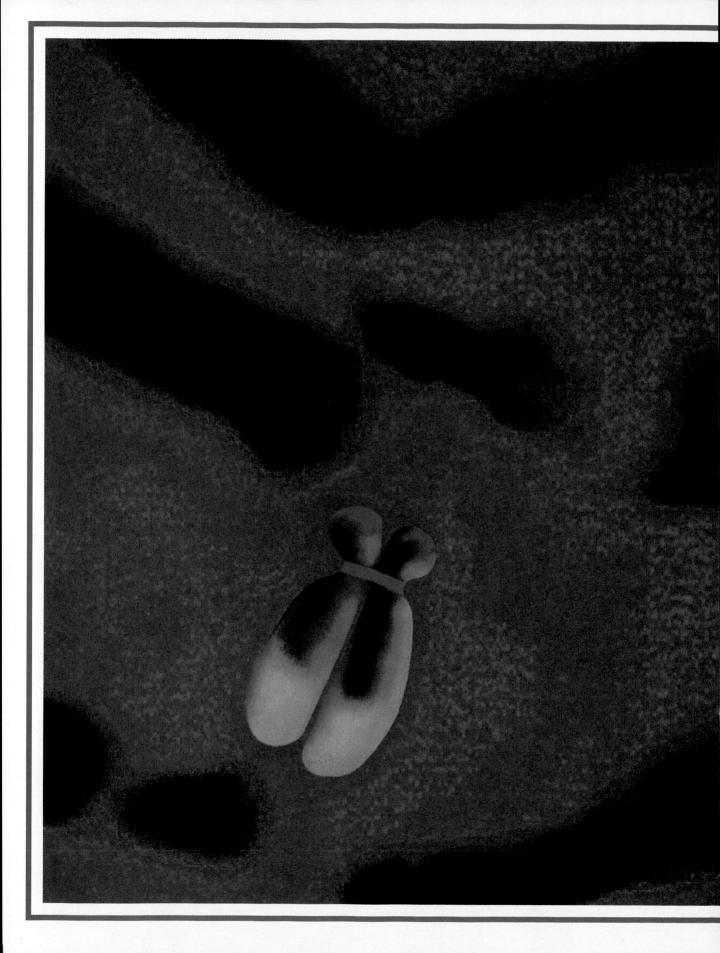

Genética humana

Guía para la lectura

Después de leer las secciones siguientes, vas a poder

3–1 La herencia en los seres humanos

- Explicar cómo pueden aplicarse los principios básicos de la genética a la herencia humana.

3–2 Rasgos ligados al sexo

- Describir cómo se heredan los rasgos ligados al sexo.

3–3 Trastornos genéticos de los seres humanos

- Relacionar el proceso de no disyunción con ciertos trastornos genéticos de los seres humanos.

- Examinar la posibilidad de curar las enfermedades genéticas.

¿Por qué son diferentes los hombres y las mujeres? ¿Por qué los hombres no son más parecidos a las mujeres? Hombres y mujeres han venido preguntándose esto desde hace miles de años. Los científicos saben que la respuesta está en los cromosomas. Las mujeres tienen dos cromosomas X y los hombres, un cromosoma X y un cromosoma Y. En 1959, se descubrió que sólo una pequeñísima parte del cromosoma Y determina que un feto vaya a ser niño y no niña. Desde entonces, se ha examinado el cromosoma Y en busca de este gene de la "masculinidad."

En el verano de 1990, dos grupos de científicos británicos anunciaron que habían encontrado lo que podría ser el "gene maestro" de la masculinidad. Este gene es aparentemente una pequeña porción de ADN del cromosoma Y que desencadena la producción de una proteína llamada testosterona. La testosterona es una hormona que controla el desarrollo de características masculinas como la voz profunda y la barba. Sólo una pequeñísima porción de ADN separa entonces a los hombres de las mujeres. ¿Es cierto esto? ¡Tal vez los científicos nunca puedan explicar las diferencias entre los hombres y las mujeres!

Diario *Actividad*

Tú y tu mundo ¿Crees que los hombres y las mujeres (o los niños y las niñas) se comportan de manera diferente? Describe en tu diario uno o dos casos en que piensas que un hombre y una mujer podrían reaccionar en forma diferente ante la misma situación. Tal vez uno o dos de tus compañeros quieran ofrecerse para poner a prueba tus predicciones.

El gene de la masculinidad se destaca en rosa en esta fotografía, realzada mediante computadoras, del cromosoma humano Y.

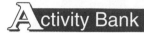ctivity Bank

Where Do Proteins Come From?, p.109

ACTIVITY

DISCOVERING

The Eyes Have It

One of the traits you may inherit from your parents is the tendency to use one eye more than the other. This is called eye dominance.

1. Hold your hand out at arm's length.

2. Point your finger at an object across the room.

3. Close your right eye and observe how far your finger seems to move. Repeat with the left eye. The eye that seems to keep your finger closer to the object is your dominant eye.

4. Combine the results for all the students in your class on a bar graph.

Are most students in your class right-eyed, left-eyed, or neither?

■ Which trait—right-eye dominance or left-eye dominance—is dominant?

■ Is eye dominance related to hand dominance? How could you find out?

3–1 Inheritance in Humans

Like all living things, humans are what they are because of the genes they inherit from their parents. In Chapter 2, you learned that all traits are controlled by genes, which are found on chromosomes. Each human has about 100,000 genes, located on 46 chromosomes. These 46 chromosomes are arranged in 23 pairs. Each chromosome pair has matching genes for a particular trait, such as eye color, hair color, and ear-lobe shape. Do you have brown eyes, black hair, and attached ear lobes? Or are you a blue-eyed blond with free ear lobes? Whatever your physical appearance, you inherited all of your traits from your parents.

Because you got one chromosome from each parent, you also got one gene for a particular trait from each parent. For example, you received one gene for eye color from your mother and one from your father. The way these genes combined determined whether your eyes would be brown, blue, or some other color. How do genes determine what color a person's eyes will be? Genes tell body cells what chemicals to make and how to make them. These chemicals are proteins. Special proteins called

Figure 3–1 *"Like father, like son." All the children's traits are controlled by genes, which they inherited from their parents. How do genes determine traits?*

Pozo de actividades

¿De dónde vienen las proteínas?, p. 109

ACTIVIDAD

PARA AVERIGUAR

Tus ojos

Uno de los rasgos que puedes haber heredado de tus padres es la tendencia a usar un ojo más que el otro. Esto se llama dominancia ocular.

1. Extiende un brazo.

2. Apunta con el dedo un objeto situado en el extremo opuesto de la habitación.

3. Cierra el ojo derecho y observa cuánto parece moverse tu dedo. Repite lo mismo con el ojo izquierdo. El ojo que parece mantener el dedo más cerca del objeto es tu ojo dominante.

4. Combina los resultados de todos los estudiantes de tu clase en un gráfico.

■ ¿Tiene la mayoría de la clase dominancia del ojo derecho, del ojo izquierdo o de ninguno?

■ ¿Qué rasgo—dominancia del ojo izquierdo o del ojo derecho—es dominante?

3–1 La herencia en los seres humanos

Igual que todos los seres vivos, los seres humanos son lo que son a causa de los genes que heredan de sus progenitores. En el capítulo 2 has aprendido que todos los rasgos son controlados por genes que se encuentran en los cromosomas. Cada ser humano tiene alrededor de 100,000 genes, situados en 46 cromosomas. Esos 46 cromosomas están divididos en 23 pares. Cada par tiene genes para un rasgo determinado, como el color de los ojos y del cabello, la forma del lóbulo de las orejas, etc. ¿Tienes los ojos y el cabello negros y los lóbulos pegados? ¿O tienes ojos azules y lóbulos despegados? Cualquiera que sea tu aspecto físico, has heredado todos tus caracteres de tus padres.

Debido a que has recibido un cromosoma de cada progenitor, también has recibido un gene para cada rasgo de cada progenitor. Por ejemplo, has recibido un gene para el color de los ojos de tu madre y uno de tu padre. La forma en que se combinaron determinó que tus ojos fueran negros, azules o de algún otro color. ¿Cómo determinan los genes el color de los ojos de una persona? Los genes indican a las células qué sustancias químicas deben producir y cómo producirlas. Estas sustancias químicas son proteínas. Las proteínas llamadas enzimas

Figura 3–1 *"De tal palo tal astilla." Todos los rasgos de los hijos son controlados por genes heredados de sus padres. ¿Cómo los genes determinan esos rasgos?*

enzymes are responsible for making the pigment, or coloring material, in your eyes.

As you can see, human genes seem to follow the same pattern of inheritance as the genes in the pea plants studied by Mendel more than a century ago. **Scientists can now apply some of the basic principles of genetics to the study of human heredity.** Today, many geneticists are in the process of mapping all 46 human chromosomes to identify the individual genes that control particular human traits.

Male and Female

Recall that the X and Y chromosomes are the sex chromosomes. The sex chromosomes are the only chromosomes in which the members of a pair do not always match each other. The X chromosome is rod shaped and the Y chromosome is hook shaped. In normal human males, all the body cells have one X chromosome and one Y chromosome, or XY. Females have two matching X chromosomes, or XX. All female sex cells (eggs) contain one X chromosome. Male sex cells (sperm) may contain either an X chromosome or a Y chromosome. Sex is determined by whether an egg is fertilized by a sperm carrying an X chromosome or a Y chromosome.

How do the X and Y chromosomes determine whether a person will be male or female? Scientists have discovered that sex seems to be determined by the presence of a Y chromosome—not by the number of X chromosomes. For example, in rare cases babies may be born with an abnormal number of sex chromosomes. Babies born with only one X chromosome and no second sex chromosome (XO) are female in appearance. Babies born with two X chromosomes and one Y chromosome (XXY) are male in appearance. In both of these abnormal cases, however, the individuals will be sterile as adults; that is, they will not be able to have children.

There have been no reported cases of babies being born without an X chromosome. It seems that the presence of an X chromosome is necessary for survival. As you will see in the next section, this is because the X chromosome carries a number of genes that are needed for normal development.

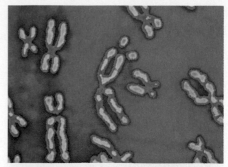

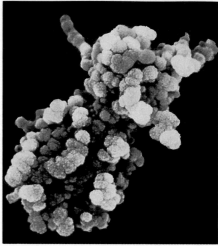

Figure 3–2 *In the photograph on the top you can see some of the 23 chromosome pairs found in human cells. One human chromosome, magnified about 20,000 times by an electron microscope, is shown in the photograph on the bottom. How many chromosomes does each human body cell contain?*

son las encargadas de formar el pigmento, o el colorante, de los ojos.

Como puedes ver, los genes humanos parecen seguir las mismas modalidades de herencia que los de las plantas de guisante que estudió Mendel hace más de 100 años. **Los científicos pueden ahora aplicar algunos de los principios básicos de la genética para estudiar la herencia humana.** Varios genetistas están elaborando actualmente un mapa de los 46 cromosomas humanos para identificar los distintos genes que controlan cada uno de los rasgos humanos.

Masculino y femenino

Recordarás que los cromosomas X e Y son los cromosomas sexuales. Son los únicos en que los miembros de un par no son siempre iguales. El cromosoma X tiene forma de bastón y el cromosoma Y, forma de gancho. En los hombres normales, todas las células somáticas tienen un cromosoma X y un cromosoma Y, o XY. Las mujeres tienen dos cromosomas X, o XX. Todas las células sexuales femeninas (óvulos) contienen un cromosoma X. Las masculinas (espermatozoides) pueden contener un cromosoma X o un cromosoma Y. El sexo se determina al ser fertilizado el óvulo por un espermatozoide con un cromosoma X o un cromosoma Y.

¿Cómo determinan los cromosomas X e Y que una persona sea hombre o mujer? Los científicos han descubierto que el sexo parece determinarse por la presencia de un cromosoma Y, y no por el número de cromosomas X. Por ejemplo, en algunos casos muy raros, pueden nacer niños con un número anormal de cromosomas X. Los niños nacidos con sólo un cromosoma X y ningún otro cromosoma sexual (XO) tienen aspecto femenino. Los niños con dos cromosomas X y un cromosoma Y (XXY) tienen aspecto masculino. Sin embargo, en ambos de estos casos anormales, esas personas serán adultos estériles. No podrán tener hijos.

No se ha comunicado ningún caso de niños nacidos sin un cromosoma X. Aparentemente, la presencia de un cromosoma X es necesaria para la supervivencia. Como verás en la próxima sección, esto se debe a que el cromosoma X contiene varios genes necesarios para el desarrollo normal.

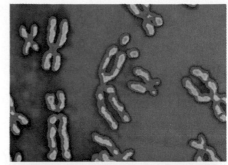

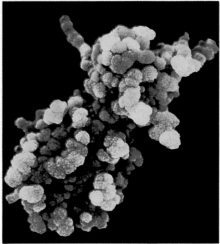

Figura 3–2 *En la fotografía de arriba puedes ver algunos de los 23 pares de cromosomas de las células humanas. En la de abajo se ve un cromosoma humano ampliado 20,000 veces con un microscopio electrónico. ¿Cuántos cromosomas contiene cada célula humana?*

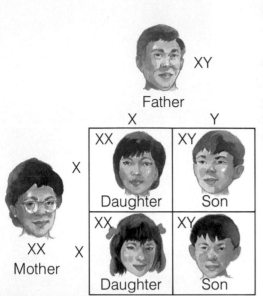

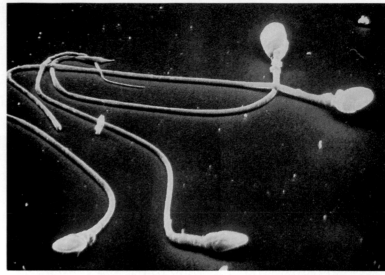

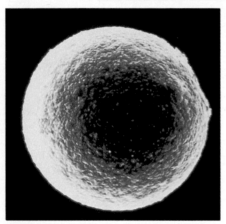

Figure 3–3 *As you can see in this Punnett square, the sex of each child is determined by whether the mother's egg is fertilized by a sperm from the father carrying an X chromosome or a Y chromosome. These photographs show a human egg (bottom) and human sperm (top).*

Multiple Alleles

In Chapter 1, you learned that particular traits in plants (such as seed color) are determined by a single pair of genes, with each gene in the pair usually being either dominant or recessive. In humans, however, some traits are not so easily determined. For example, human skin color is controlled by several genes, some of which have more than two forms.

Each form of a gene is called an **allele** (uh-LEEL). So far, you have read only about genes that have two alleles. For example, the pea plant gene for seed color has two alleles, one for yellow and one for green. In humans, however, there may be three or more alleles for a single skin-color gene. In other words, the gene has multiple alleles. Although many alleles may exist for a particular gene, each individual has only two alleles for that gene.

In humans, the inheritance of skin color can be unpredictable. Even children of the same mother and father may have different patterns of skin color. The color of human skin depends on the amount and types of brownish pigments present in the skin cells. Various combinations of the individual genes for skin color control the amount of pigments produced in the skin cells. This, in turn, results in the wide variety of skin colors in people around the

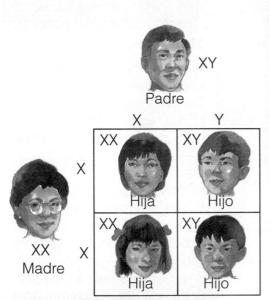

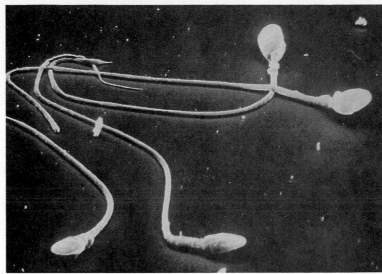

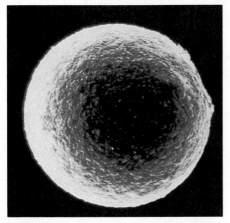

Figura 3–3 *Como puedes ver en este cuadro de Punnett, el sexo de cada hijo se determina por la fertilización del óvulo de la madre por un espermatozoide del padre que contiene un cromosoma X o un cromosoma Y. Estas fotografías muestran un óvulo (abajo) y un espermatozoide humano (arriba).*

Alelos múltiples

En el capítulo 1 has aprendido qué rasgos de las plantas (como el color de las semillas) son determinados por un par de genes, en el que cada gene del par es generalmente dominante o recesivo. Sin embargo, en los seres humanos, algunos caracteres no se determinan tan fácilmente. Por ejemplo, el color de la piel es controlado por varios genes, algunos de los cuales tienen más de dos formas.

Cada forma de un gene se llama un **alelo**. Hasta aquí, sólo has leído acerca de genes que tienen dos alelos. Por ejemplo, el de la planta de guisante que determina el color de las semillas tiene dos alelos, uno para el amarillo y uno para el verde. Sin embargo, en los seres humanos, puede haber tres o más alelos para un solo gene del color de la piel. El gene tiene así alelos múltiples. Aunque puede haber muchos alelos para un gene determinado, cada persona sólo tiene dos alelos para ese gene.

En los seres humanos, predecir el color de piel que se heredará es muy difícil. Incluso niños con la misma madre y el mismo padre pueden tener colores de piel diferentes. El color de la piel humana depende de la cantidad y los tipos de pigmentos castaños presentes en las células cutáneas. Varias combinaciones de los genes del color de la piel controlan la cantidad de pigmentos que se producen en las células cutáneas. Esto produce a su vez una amplia variedad de colores de piel. ¡Qué aburrido sería que todos

world. How boring it would be if everyone in the world had the same skin color! Instead, human skin colors range from palest white to bluest black—with many, many variations in between.

In addition to skin color, the four major human blood groups, or types, are also determined by multiple alleles. The major human blood groups are called A, B, AB, and O. Scientists know that blood groups are controlled by multiple alleles because there is no way that a single pair of alleles can produce four different characteristics.

Human blood groups are determined by three alleles. Both the allele for group A blood and the allele for group B blood are dominant. In other words, they are **codominant.** When two codominant alleles are inherited, both are expressed. For example, a person who inherits an allele for group A blood from one parent and an allele for group B blood from the other parent will have group AB blood.

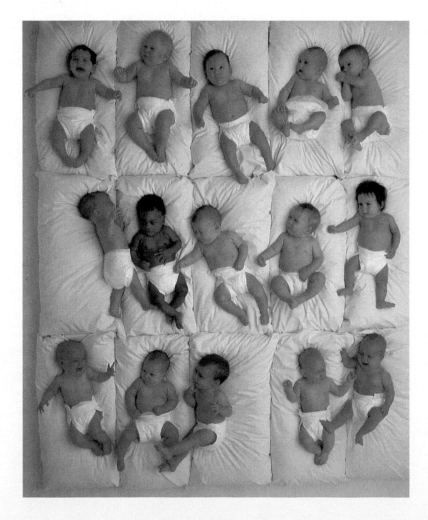

Figure 3–4 *Humans come in a rainbow of skin colors. How many alleles determine human skin color?*

tuvieran el mismo color de piel! En cambio, la piel humana va desde el blanco más pálido hasta el negro más azulado, pasando por muchas variaciones.

Además del color de la piel, los cuatro grupos o tipos sanguíneos principales son también determinados por alelos múltiples. Los principales, tipos sanguíneos de los seres humanos se llaman A, B, AB y O. Los científicos saben que los tipos sanguíneos son controlados por alelos múltiples porque no hay ninguna forma de que un solo par de alelos pueda producir cuatro características diferentes.

Los tipos sanguíneos humanos son determinados por tres alelos. El alelo para el grupo A y el alelo para el grupo B son dominantes. En otras palabras, son **codominantes**. Cuando se heredan dos alelos codominantes, ambos se expresan. Por ejemplo, una persona que hereda un alelo para el grupo A de un progenitor y un alelo para el grupo B del otro tendrá el tipo sanguíneo AB.

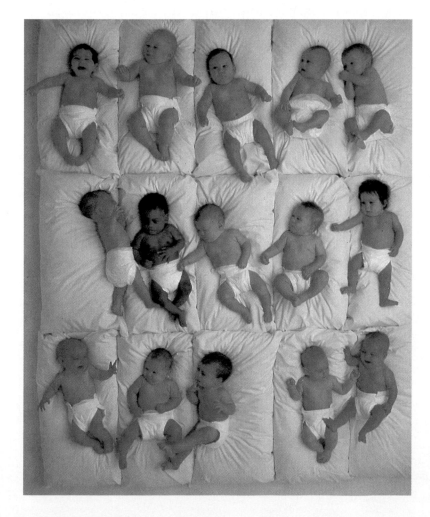

Figura 3–4 *Los seres humanos vienen en un arco iris de colores de piel. ¿Cuántos alelos determinan el color de la piel humana?*

BLOOD GROUP ALLELES

Blood Groups	Combination of Alleles
A	AA or AO
B	BB or BO
AB	AB
O	OO

Figure 3–5 *The photograph shows group A blood before (left) and after (right) mixing with a different blood group. Notice the clumping of blood cells that has occurred. According to the table, what two possible allele combinations might a person with group A blood have?*

ACTIVITY

WRITING

Discovery of Sickle Cell Anemia

Sickle cell anemia was discovered and named by James Herrick, an American doctor. Use library references to find out about Dr. Herrick and how he came to discover sickle cell anemia. Write a brief report of your findings.

The allele for group O blood, however, is recessive. So a person who inherits an allele for group O blood and an allele for group A blood will have group A blood. (The recessive O allele is masked by the dominant A allele.) Similarly, a person who inherits an allele for group O blood and an allele for group B blood will have group B blood. What two alleles must a person with group O blood have inherited? The table in Figure 3–5 shows the pattern of inheritance for human blood groups. To which blood group do you belong?

Sickle Cell Anemia

As you have already learned, each gene controls the production of a specific protein. Sometimes a mutation occurs in an inherited gene. Then the protein whose production is controlled by the mutant gene may contain an error in its structure. If the mutant gene controls the production of an important protein, such as hemoglobin, the consequences may be serious. Hemoglobin is the red pigment in red blood cells that carries oxygen. Hemoglobin that has an error in its structure may not be able to do its job properly. If so, the result may be a serious blood disorder called sickle cell anemia. Sickle cell anemia is an example of an inherited disease. It occurs when a person inherits from each parent a mutant gene for the manufacture of hemoglobin.

THE SICKLE CELL GENE People with sickle cell anemia have inherited two sickle cell genes, one from each parent. This is because the gene for normal hemoglobin (A) is codominant with the sickle cell gene (S). (Remember that when two codominant genes are inherited, both are expressed.) When each gene is present (AS), the person is said to be a carrier of the sickle cell trait. About half of a carrier's hemoglobin is normal. Carriers, therefore, show few of the harmful effects of sickle cell anemia. When both sickle cell genes (SS) are present, however, the person has sickle cell anemia and suffers all of the effects of the disorder.

CAUSE OF SICKLE CELL ANEMIA Sickle cell anemia is caused by a change in one of the nitrogen bases that make up the gene for hemoglobin. The presence of

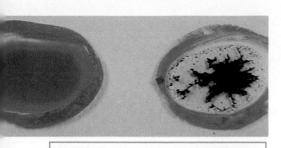

ALELOS DE LOS GRUPOS SANGUÍNEOS

Grupos sanguíneos	Combinación de alelos
A	AA o AO
B	BB o BO
AB	AB
O	OO

Figura 3–5 *En la fotografía se muestra sangre del grupo A antes (izquierda) y después (derecha) de mezclarla con sangre de otro grupo. Observa cómo se han agrupado los glóbulos rojos. Según el cuadro, ¿qué combinaciones posibles de alelos podría tener una persona del grupo A?*

ACTIVIDAD

PARA ESCRIBIR

Descubrimiento de la anemia de células falciformes

James Herrick, un médico norteamericano, descubrió y dió nombre a la anemia de células falciformes. Usa referencias de la biblioteca para averiguar más acerca del Dr. Herrick y de la forma en que descubrió la anemia de células falciformes. Escribe un breve informe sobre lo que has averiguado.

Ahora bien, el alelo para el grupo O es recesivo. Si una persona hereda un alelo para el grupo O y un alelo para el grupo A, tendrá el tipo sanguíneo A. (El alelo O recesivo queda oculto por el alelo A dominante.) Si una persona hereda un alelo para el grupo O y un alelo para el grupo B, tendrá el tipo sanguíneo B. ¿Qué alelos tiene que haber heredado una persona del grupo sanguíneo O? El cuadro de la figura 3–5 muestra las modalidades de herencia de los grupos sanguíneos humanos. ¿Cuál es tu grupo sanguíneo?

Anemia de células falciformes

Como ya has aprendido, cada gene controla la producción de una proteína concreta. A veces se produce una mutación en un gene heredado. La proteína cuya producción controla el gene mutante puede tener entonces un error en su estructura. Si el gene mutante controla la producción de una proteína importante, como la hemoglobina, las consecuencias pueden ser graves. La hemoglobina es el pigmento de los glóbulos rojos que transporta el oxígeno. Es posible que la hemoglobina con un error en su estructura no funcione adecuadamente. En este caso, el resultado puede ser una enfermedad grave llamada anemia de células falciformes. Este es un ejemplo de una enfermedad hereditaria. Se produce cuando una persona hereda de cada progenitor un gene mutante para la producción de hemoglobina.

GENE DE LA ANEMIA DE CÉLULAS FALCIFORMES Las personas que tienen anemia de células falciformes han heredado dos genes para la anemia, uno de cada progenitor. Ocurre así porque el gene de la hemoglobina normal (A) es codominante con el de la anemia de células falciformes (S). (Recuerda que cuando se heredan dos genes codominantes, ambos se expresan.) Cuando ambos están presentes (AS), se dice que la persona es portadora del rasgos de las células falciformes. Como casi la mitad de la hemoglobina de los portadores es normal, éstos no sufren en general los efectos perniciosos de la enfermedad. Sin embargo, cuando están presentes los dos genes de la anemia (SS), la persona sufre todos los efectos de la enfermedad.

CAUSA DE LA ANEMIA DE CÉLULAS FALCIFORMES La anemia de células falciformes es resultado de un cambio en una de las bases nitrogenadas que forman el gene de la hemoglobina. La presencia de una base nitrogenada

a different nitrogen base in the hemoglobin gene results in the substitution of a different amino acid (valine instead of glutamic acid) in the hemoglobin protein molecule. This error in the structure of the hemoglobin molecule results in the characteristic sickle-shaped red blood cells seen in the blood of people with sickle cell anemia.

DISTRIBUTION OF SICKLE CELL ANEMIA In the United States, most carriers of sickle cell anemia are African Americans. In fact, about 10 percent of African Americans carry the sickle cell trait. As many as 40 percent of the population in some parts of Africa may be sickle cell carriers. The frequency of sickle cell anemia in certain areas has to do with the relationship between sickle cell anemia and malaria. Malaria is a disease that is common in Africa and other tropical parts of the world. Malaria (like sickle cell anemia) affects the red blood cells. Scientists have found that sickle cell carriers are partially resistant to malaria. Thus the sickle cell trait probably developed as a mutation that helped people who were carriers of the trait to resist malaria.

	A	S
A	AA	AS
A	AA	AS

A = gene for normal hemoglobin
S = gene for sickle cell hemoglobin

Figure 3–6 *This Punnett square shows a cross between a person who carries a gene for sickle cell hemoglobin and a person with two genes for normal hemoglobin. What are the possible genotypes of their offspring?*

Other Inherited Diseases

In addition to sickle cell anemia, there are many other inherited diseases that result when a mutation occurs in one or more human genes. Other inherited diseases include muscular dystrophy, Huntington disease, and cystic fibrosis. In some cases, scientists have been able to identify the gene responsible for the disorder. Identifying the genes that are responsible for the disorder is the first step in finding a cure for inherited diseases.

Figure 3–7 *As you can see, the shape of a red blood cell in a person who has sickle cell anemia (left) is quite different from the normal shape of a red blood cell (right). Can a person inherit sickle cell anemia from only one parent?*

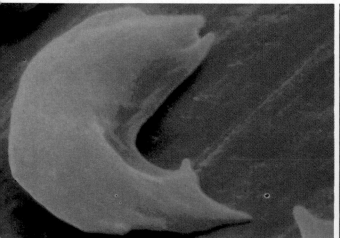
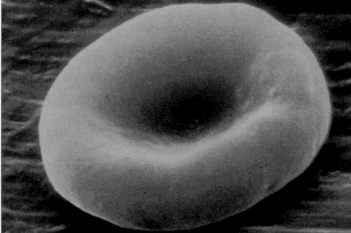

diferente en el gene de la hemoglobina hace que haya un aminoácido diferente (valina en lugar de ácido glutámico) en la molécula de hemoglobina. Este error en la estructura de la molécula de hemoglobina produce los glóbulos rojos característicos en forma de hoz que se ven en la sangre de las personas que tienen anemia de células falciformes.

DISTRIBUCIÓN DE LA ANEMIA DE CÉLULAS FALCIFORMES En los Estados Unidos, la mayoría de los portadores de la anemia de células falciformes son afroamericanos. Casi el 10 por ciento de los afroamericanos, y el 40 por ciento de la población en algunas partes de África, tienen el rasgo de las células falciformes. La frecuencia de la anemia de células falciformes en algunas zonas guarda relación con el paludismo, que es una enfermedad común en África y otras zonas tropicales del mundo. El paludismo (como la anemia de células falciformes) afecta los glóbulos rojos. Los científicos han descubierto que los portadores de anemia de células falciformes tienen una resistencia parcial al paludismo. Es probable que el rasgo de la anemia de células falciformes se haya desarrollado como mutación que ayuda a los portadores del rasgo a resistir el paludismo.

Otras enfermedades hereditarias

Además de la anemia de células falciformes, hay muchas otras enfermedades hereditarias que se producen cuando hay una mutación en uno o más de los genes humanos. Otras enfermedades hereditarias son la distrofia muscular, la enfermedad de Huntington y la fibrosis cística. En algunos casos, los científicos han podido identificar el gene responsable de la enfermedad. La identificación de los genes responsables de la enfermedad, es el primer paso para hallar una cura para las enfermedades hereditarias.

	A	S
A	AA	AS
A	AA	AS

A = gene para la hemoglobina normal
S = gene para la hemoglobina de células falciformes

Figura 3–6 *Este cuadro de Punnett muestra un cruzamiento entre una persona portadora de un gene para la hemoglobina de células falciformes y una persona con dos genes para la hemoglobina normal. ¿Cuáles son los genotipos posibles de su descendecia?*

Figura 3–7 *Como puedes ver, la forma de un glóbulo rojo de una persona con anemia de células falciformes (izquierda) es muy diferente de la forma normal de un glóbulo rojo (derecha). ¿Puede una persona heredar la anemia de células falciformes de un solo progenitor?*

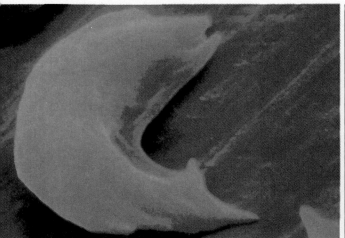

PROBLEM Solving

Pedestrian Genetics

The inhabitants of the planet Pedestria (called Pedestrians) never invented the wheel, so they walk a lot. As a result of all this walking, they have very big feet. The feet of the Pedestrians may be either red, blue, purple, or green, depending on what combination of genes for foot color they inherit from their parents. The table shows the relationship between foot color (phenotype) and gene combinations (genotype).

How many alleles are there for Pedestrian foot color? Are any of the alleles dominant? Recessive? Codominant? Suppose a male Pedestrian with blue feet (BG) marries a female Pedestrian with purple feet (RB). Is it possible for them to have a child with green feet? Why or why not? What percentage of their offspring could have each possible phenotype? Genotype?

Phenotype	Genotype
Red	RR or RG
Blue	BB or BG
Purple	RB
Green	GG

Heredity and Environment

How much of a person's appearance and behavior is controlled by heredity and how much by environment? Most people agree that physical characteristics, such as straight hair or curly hair and blue eyes or brown eyes, are inherited. But what about other physical characteristics, such as height or body weight? Height and body weight are probably also inherited traits. But people only grow to their full height and normal body weight when they receive a proper diet, and diet is a factor that is determined by the environment.

The roles of heredity and environment are easier to evaluate in organisms that have the same or

PROBLEMA

a resolver

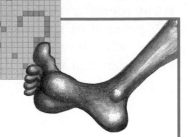

Genética peatonal

Los habitantes del planeta Peatonia (llamados peatones) nunca inventaron la rueda, de modo que caminan mucho y tienen en consecuencia los pies muy grandes. Los pies de los peatones pueden ser rojos, azules, morados o verdes, según la combinación de genes para el color de los pies que hereden de sus progenitores. En el cuadro se muestra la relación entre el color de los pies (fenotipo) y las combinaciones de genes (genotipo).

¿Cuántos alelos hay para el color de los pies de los peatones? ¿Son algunos de los alelos dominantes, recesivos o codominantes? Imagina que un peatón con pies azules (AV) se case con una peatona con pies morados (RA). ¿Es posible que tengan un hijo con pies verdes? ¿Por qué sí o por qué no? ¿Qué porcentaje de su descendencia podría tener cada fenotipo posible? ¿Y cada genotipo?

Fenotipo	Genotipo
Rojo	RR o RV
Azul	AA o AV
Morado	RA
Verde	VV

Herencia y medio ambiente

¿En qué medida están el aspecto y el comportamiento de una persona determinados por la herencia y por el medio ambiente? La mayoría de la gente está de acuerdo en que las características físicas, como el cabello lacio o rizado y los ojos azules o negros, se heredan, pero, ¿qué pasa con otras características, como la estatura y el peso? La estatura y el peso son también probablemente caracteres heredados. Pero las personas sólo alcanzan su estatura y su peso normal cuando reciben una dieta adecuada, y la dieta es un factor determinado por el medio ambiente.

Es más fácil evaluar el papel de la herencia y del medio ambiente en organismos que tienen una composición

similar genetic makeup. To analyze the effects of heredity and environment in humans, scientists often study identical twins. Identical twins make up only 0.5 percent of the total population. Unlike fraternal twins, who develop from two different fertilized eggs, identical twins come from the same fertilized egg and are usually genetically identical. Therefore, most differences between identical twins probably

Figure 3–8 *Because identical twins develop from the division of one fertilized egg, they have the exact same chromosomes and are always the same sex. Fraternal twins, who develop from two different fertilized eggs, are not necessarily the same sex.*

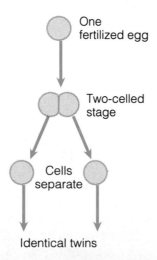

One fertilized egg

Two-celled stage

Cells separate

Identical twins

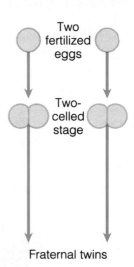

Two fertilized eggs

Two-celled stage

Fraternal twins

genética idéntica o similar. Para analizar los efectos de la herencia y del medio ambiente en los seres humanos, los científicos estudian a menudo gemelos idénticos. Los gemelos idénticos son sólo el 0.5 por ciento de la población total. A diferencia de los gemelos fraternos, que se desarrollan a partir de dos óvulos fertilizados, los gemelos idénticos provienen del mismo óvulo fertilizado y son en general genéticamente idénticos. En consecuencia, la mayoría de las diferencias entre gemelos idénticos se

Figura 3–8 *Como los gemelos idénticos se desarrollan a partir de la división de un óvulo fertilizado, tienen exactamente los mismos cromosomas y son siempre del mismo sexo. Los gemelos fraternos, que se desarrollan a partir de dos óvulos fertilizados, no son necesariamente del mismo sexo.*

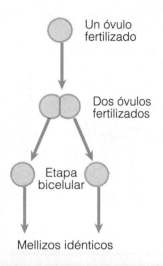

Un óvulo fertilizado

Dos óvulos fertilizados

Etapa bicelular

Mellizos idénticos

Dos óvulos fertilizados

Etapa bi-celular

Mellizos fraternos

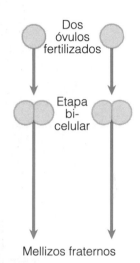

are the result of environmental factors, not heredity. Studies of identical twins who were separated at birth or at an early age suggest that more of human behavior may be inherited than was previously thought.

3–1 Section Review

1. Describe the inheritance of a human trait using a specific example.
2. What are multiple alleles? Give an example of a human trait controlled by multiple alleles.
3. What is an inherited disease? Give at least two examples.

Critical Thinking—*Relating Concepts*
4. A woman with group O blood marries a man with group B blood. Can they have a child with group A blood? Why or why not?

Guide for Reading

Focus on these questions as you read.
▶ *What are sex-linked traits?*
▶ *What are some human sex-linked traits?*

3–2 Sex-linked Traits

Some human traits occur more often in one sex than in the other. Usually, the genes for these traits are carried on the X chromosome, which is a sex chromosome. **Traits that are carried on the X chromosome are called sex-linked traits because they are passed from parent to child on a sex chromosome.** Unlike X chromosomes, Y chromosomes carry few, if any, additional genes. (The maleness gene is one of the few genes carried on the Y chromosome.) So any gene—even a recessive one—carried on an X chromosome will produce a trait in a male who inherits the gene. There is no matching gene on the Y chromosome to mask, or hide, the gene on the X chromosome. The situation is not the same for a female, however. Do you know why? Because a female has two X chromosomes, a recessive gene on one X chromosome can be masked, or hidden, by a dominant gene on the other X chromosome. As a result, females are less likely than males to inherit **sex-linked traits.**

deben probablemente a factores ambientales, y no hereditarios. Los estudios de gemelos idénticos separados al nacer o a una edad muy temprana sugieren que el comportamiento humano es más hereditario de lo que se creía anteriormente.

3–1 Repaso de la sección

1. Describe la herencia de un rasgo humano utilizando un ejemplo concreto.
2. ¿Qué son alelos múltiples? Da un ejemplo de un rasgo humano controlado por alelos múltiples.
3. ¿Qué es una enfermedad hereditaria? Proporciona por lo menos dos ejemplos.

Pensamiento crítico—*Relacionar conceptos*
4. Una mujer de tipo sanguíneo O se casa con un hombre de tipo sanguíneo B. ¿Pueden tener un hijo de tipo sanguíneo A? ¿Por qué sí o por qué no?

Guía para la lectura

Piensa en estas preguntas mientras lees.
▶ *¿Qué son rasgos ligados al sexo?*
▶ *¿Cuáles son algunos rasgos humanos ligados al sexo?*

3–2 Rasgos ligados al sexo

Algunos rasgos humanos son más frecuentes en un sexo que en el otro. Generalmente, los genes para esos rasgos están en el cromosoma X, que es el cromosoma sexual. **Los caracteres que están en el cromosoma X se llaman caracteres ligados al sexo porque pasan de los progenitores a los descendientes en un cromosoma sexual.** A diferencia de los cromosomas X, los cromosomas Y contienen pocos genes adicionales, o ninguno. (El gene de la masculinidad es uno de los pocos genes en el cromosoma Y.) Cualquier gene en el cromosoma X, incluso uno recesivo, producirá un rasgo en un hombre que herede el gen, ya que no hay ningún gene correspondiente en el cromosoma Y para esconder o enmascarar el gene del cromosoma X. Sin embargo, no ocurre lo mismo con las mujeres. Debido a que una mujer tiene dos cromosomas X, un gene recesivo en un cromosoma X puede quedar oculto por un gene dominante en el otro cromosoma X. Las mujeres tienen por eso menos probabilidades que los hombres de heredar **rasgos ligados al sexo.**

Hemophilia

An example of a disorder caused by a sex-linked recessive trait is hemophilia (hee-moh-FIHL-ee-uh). Hemophilia is an inherited disease in which the blood clots abnormally slowly or not at all. Hemophilia is also called "bleeder's disease." For a person who has hemophilia, even a small cut or bruise can be extremely dangerous. People who have hemophilia often have to receive regular blood transfusions. In the 1980s, people who had hemophilia and others who received blood transfusions (for example, during surgery) were in danger of contracting AIDS from contaminated blood. Now, however, the blood supply is routinely screened for the presence of the AIDS virus.

Figure 3–11 on page 68 is an example of a chart called a pedigree. A pedigree (often called a "family tree") shows the relationships among the individuals in a family. A pedigree such as the one in Figure 3–11 can also be used to trace the inheritance of a particular trait in a family. The trait recorded in a pedigree could be an ordinary trait, such as hair color, or a disorder, such as hemophilia. The human pedigree in Figure 3–11 traces the pattern of inheritance of hemophilia in the royal families of Europe beginning with Queen Victoria of England. By studying

Figure 3–9 *Ryan White, who had hemophilia, contracted AIDS from a transfusion with contaminated blood. Before he died in 1990, he fought for the rights of others with AIDS. Ryan White's courageous battle against discrimination has been an inspiration to many people.*

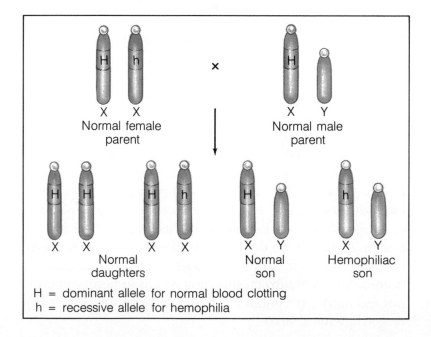

H = dominant allele for normal blood clotting
h = recessive allele for hemophilia

Figure 3–10 *As shown in this illustration, there is a 25 percent chance that a female who carries a gene for hemophilia and a normal male will have a son with hemophilia. Why is hemophilia called a sex-linked trait?*

Hemofilia

Un ejemplo de un trastorno causado por un rasgo recesivo ligado al sexo es la hemofilia. Ésta es una enfermedad hereditaria en que la sangre no se coagula, o se coagula muy lentamente. La hemofilia se llama también "enfermedad hemorrágica." Para una persona hemofílica, incluso una herida muy pequeña puede ser muy peligrosa. Generalmente los hemofílicos tienen que recibir transfusiones regulares. En los años ochenta, los hemofílicos y otras personas que recibían transfusiones (por ejemplo, durante procedimientos quirúrgicos) corrían el riesgo de contraer SIDA a través de sangre contaminada. Sin embargo, ahora la sangre se controla siempre, para excluir la presencia del virus del SIDA.

La figura 3–11 de la página 68 es un ejemplo de un gráfico llamado "árbol genealógico," que muestra las relaciones entre las personas de una familia. Un árbol genealógico como el de la figura 3–11 puede usarse también para determinar la herencia de un rasgo particular en una familia. Ese rasgo puede ser uno ordinario, como el color del pelo, o una enfermedad, como la hemofilia. En figura 3–11 se muestra la herencia de la hemofilia en las familias reales de Europa a partir de la Reina Victoria de Inglaterra. Mediante el estudio de las

Figura 3–9 *Ryan White, que era hemofílico, contrajo SIDA de una transfusión de sangre contaminada. Antes de morir en 1990, luchó por los derechos de otras personas enfermas con SIDA. La valerosa batalla de Ryan White contra la discriminación, ha sido una fuente de inspiración para muchos.*

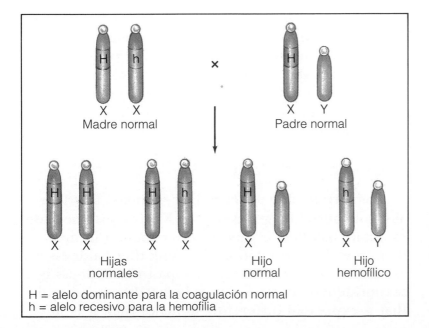

Madre normal   ×   Padre normal

Hijas normales   Hijo normal   Hijo hemofílico

H = alelo dominante para la coagulación normal
h = alelo recesivo para la hemofilia

Figura 3–10 *Como se muestra en esta ilustración, hay un 25 por ciento de posibilidades de que una mujer con un gen para la hemofilia y un hombre normal tengan un hijo hemofílico. ¿Por qué es la hemofilia un carácter ligado al sexo?*

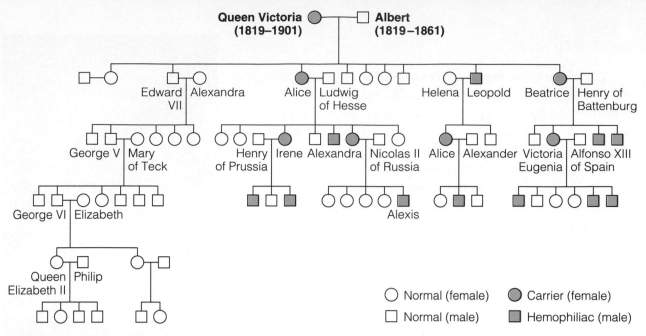

Queen Victoria (1819–1901)   Albert (1819–1861)

Edward VII | Alexandra   Alice | Ludwig of Hesse   Helena | Leopold   Beatrice | Henry of Battenburg

George V | Mary of Teck   Henry of Prussia | Irene   Alexandra | Nicolas II of Russia   Alice | Alexander   Victoria Eugenia | Alfonso XIII of Spain

George VI | Elizabeth   Alexis

Queen Elizabeth II | Philip

○ Normal (female)   ● Carrier (female)
□ Normal (male)   ■ Hemophiliac (male)

Figure 3–11 *This pedigree shows how hemophilia spread in the family of Queen Victoria of England, who was a carrier. How many of Victoria's sons had hemophilia? How many grandsons?*

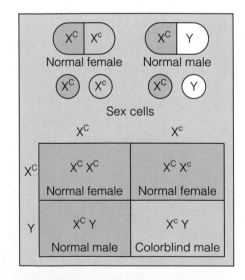

Figure 3–12 *Colorblindness is a sex-linked trait. Why are very few females colorblind?*

the pattern of inheritance revealed in a pedigree, it is possible to determine whether a trait is dominant or recessive, as well as whether it is sex linked.

Colorblindness

Colorblindness is another sex-linked recessive trait. A person who is colorblind cannot see the difference between certain colors, such as red and green. Difficulty in distinguishing between the colors red and green is the most common type of colorblindness. More males than females are colorblind. A colorblind female must inherit two recessive genes for colorblindness, one from each parent. But a colorblind male needs to inherit only one recessive gene. Why is this so? Remember that males do not have a matching gene on the Y chromosome that could mask the recessive gene on the X chromosome.

Male-Pattern Baldness

Some traits that seem to be sex linked are actually not caused by genes on the X chromosome. For example, baldness is much more common in men than in women. So you might think that baldness is a sex-linked trait. However, male-pattern baldness is a sex-influenced trait. A sex-influenced trait is a trait that is expressed differently in males than it is in

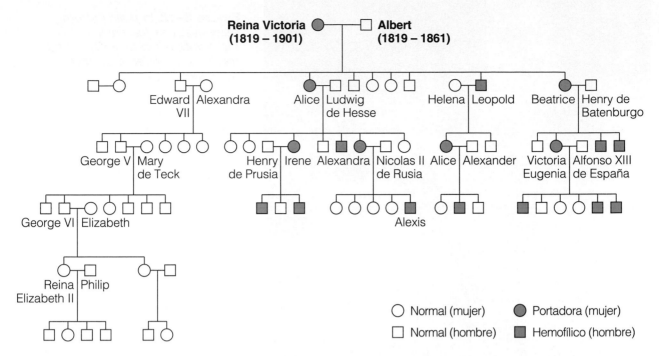

○ Normal (mujer)   ● Portadora (mujer)
□ Normal (hombre) ■ Hemofílico (hombre)

Figura 3–11 *En este árbol genealógico se muestra cómo se difundió la hemofilia en la familia de la Reina Victoria de Inglaterra, que era portadora del gene. ¿Cuántos de los hijos y cuántos de los nietos de Victoria eran hemofílicos?*

modalidades de la herencia observadas en un árbol genealógico es posible determinar si un rasgo es dominante o recesivo y también si está ligado al sexo.

Daltonismo

El daltonismo es otro rasgo recesivo ligado al sexo. Una persona daltónica no puede ver la diferencia entre algunos colores. La dificultad para distinguir entre el rojo y el verde es la forma más común de daltonismo. Hay más hombres que mujeres daltónicos. Una mujer daltónica tiene que heredar dos genes recesivos para el daltonismo, uno de cada progenitor. Pero un hombre daltónico sólo tiene que heredar un gene recesivo. ¿Por qué? Recuerda que los hombres no tienen un gene correspondiente en el cromosoma Y que pueda enmascarar el gene recesivo del cromosoma X.

Calvicie masculina

Algunos rasgos que parecen ligados al sexo no son causados por genes en el cromosoma X. Por ejemplo, la calvicie es mucho más común en los hombres que en las mujeres, y se podría pensar que es un rasgo ligado al sexo. Es en cambio un rasgo influído por el sexo. Un rasgo influído por el sexo es uno que se expresa en forma diferente en los hombres y en las mujeres. Se llama calvicie masculina porque los hombres que heredan un

Figura 3–12 *El daltonismo es un carácter ligado al sexo. ¿Por qué hay pocas mujeres daltónicas?*

Figure 3–13 *In male-pattern baldness, hair loss results from the combination of an inherited trait and the effects of male hormones.*

females. It is called male-pattern baldness because men who inherit one gene for normal hair and one gene for baldness tend to be bald, whereas women do not. Scientists are not sure how a person's sex influences the expression of certain genes, but they think that male sex hormones may play a role.

3–2 Section Review

1. What are sex-linked traits? Describe two human sex-linked traits.
2. What is a pedigree? Why is it useful?
3. Why are males more likely than females to inherit sex-linked recessive traits?
4. What is the difference between a sex-linked trait and a sex-influenced trait?

Connection—*Mathematics*

5. In a typical population, about 8 percent of the men are colorblind, but only about 1 percent of the women are colorblind. In a city of 250,000 people, about how many men would you expect to be colorblind? How many women?

ACTIVITY
DOING

Make a Family Tree

How are traits inherited in your family? In this activity you will draw a family tree to find out.

1. Choose a specific trait that you can trace through your family. Some traits you might include are hair color, left- or right-handedness, and attached or unattached earlobes.

2. Interview members of your family to trace the inheritance of the trait.

3. Draw a family tree. Use squares to represent male members of your family and circles for females. Include as many generations as you can.

Figura 3–13 *En la calvicie masculina, la pérdida del cabello es resultado de la combinación de un rasgo heredado y de los efectos de las hormonas masculinas.*

gene para el cabello normal y uno para la calvicie tienden a ser calvos, en tanto que esto no ocurre en las mujeres. Los científicos no saben exactamente cómo influye el sexo de una persona en la expresión de algunos genes, pero piensan que eso está relacionado con las hormonas masculinas.

3–2 Repaso de la sección

1. ¿Qué son los rasgos ligados al sexo? Describe dos rasgos humanos ligados al sexo.
2. ¿Qué es un árbol genealógico? ¿Por qué es útil?
3. ¿Por qué es más probable que los hombres hereden rasgos recesivos ligados al sexo?
4. ¿Cuál es la diferencia entre un rasgo ligado al sexo y uno influído por el sexo?

Conexión—*Matemáticas*
5. En una población típica, alrededor del 8 por ciento de los hombres son daltónicos, pero sólo el 1 por ciento de las mujeres lo son. En una ciudad de 250,000 habitantes, ¿cuántos hombres y cuántas mujeres serían daltónicos?

ACTIVIDAD

PARA HACER

Árbol genealógico

¿Cómo se heredan los rasgos en tu familia? En esta actividad, harás un árbol genealógico para averiguarlo.

1. Elige un rasgo concreto que puedas investigar en tu familia. Puede ser el color del cabello, el ser diestro o zurdo o el tener los lóbulos de las orejas pegados o despegados.

2. Entrevista a los miembros de tu familia para determinar las modalidades de la herencia del carácter.

3. Dibuja un árbol genealógico. Usa cuadrados para representar a los hombres y círculos para las mujeres. Incluye todas las generaciones que puedas.

3–3 Human Genetic Disorders

In Chapter 2, meiosis was described as the process in which sex cells are formed. During meiosis, chromosome pairs usually separate. But in rare cases, a chromosome pair may remain joined during meiosis. This failure of a chromosome pair to separate during meiosis is known as **nondisjunction** (nahn-dihs-JUHNG-shuhn). **As a result of nondisjunction, body cells receive either more chromosomes or fewer chromosomes than normal. An abnormal number of chromosomes may result in certain genetic disorders.** Some of these disorders can be detected by examining a person's chromosomes.

Down Syndrome

Figure 3–15 is an example of a human **karyotype** (KAR-ee-uh-tighp). A karyotype shows the size, number, and shape of all the chromosomes in an organism. Look carefully at this human karyotype. How many chromosomes do you see? If you counted 47, you are correct. You have learned that humans usually have 46 chromosomes, or 23 pairs. In this karyotype, the extra chromosome is found in what would normally be the twenty-first chromosome pair. The presence of such a group of three chromosomes is called trisomy (trigh-SOH-mee). When a person has an extra chromosome in the twenty-first pair, a condition called trisomy-21 results. Trisomy-21 is also known as Down syndrome. People with Down syndrome may have various physical problems and some degree of mental retardation. However, many people with Down syndrome lead normal, active lives and often make valuable contributions to society.

Detecting Genetic Disorders

Is there a way of knowing before a child is born whether he or she will have Down syndrome or another inherited disorder? Fortunately, the answer is yes. One method of diagnosing a genetic disorder such as Down syndrome is called **amniocentesis** (am-nee-oh-sehn-TEE-sihs). Amniocentesis involves

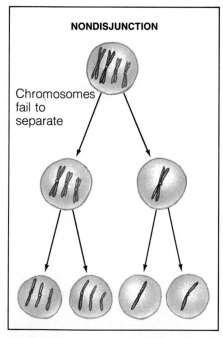

NONDISJUNCTION

Chromosomes fail to separate

Figure 3–14 *Nondisjunction results when chromosomes fail to separate during meiosis. What is one genetic disorder that results from nondisjunction?*

3–3 Trastornos genéticos de los seres humanos

En el capítulo 2 se describió la meiosis como el proceso en el que se forman las células sexuales. Durante la meiosis, los pares de cromosomas se separan. Pero en algunos casos muy raros, un par de cromosomas sigue unido durante la meiosis. La falta de separación de un par de cromosomas durante la meiosis se conoce como **no disyunción. Como resultado de la no disyunción, las células del cuerpo reciben más o menos cromosomas que lo normal. Un número anormal de cromosomas puede dar como resultado ciertos trastornos genéticos.** Algunos de ellos pueden detectarse mediante el examen de los cromosomas de una persona.

Síndrome de Down

La figura 3–15 es un ejemplo de un **cariotipo** humano. Un cariotipo muestra el tamaño, el número y la forma de todos los cromosomas de un organismo. Mira cuidadosamente este cariotipo humano. ¿Cuántos cromosomas ves? Si has contado 47, has contado bien. Ya sabes que los seres humanos tienen generalmente 46, o 23 pares, de cromosomas. En este cariotipo, el cromosoma adicional está en lo que sería normalmente el par 21. La presencia de un grupo de 3 cromosomas se llama trisomía. Cuando una persona tiene un cromosoma extra en el par 21 se produce una condición llamada trisomía del 21, conocida también como síndrome de Down. Las personas con el síndrome de Down pueden tener varios problemas físicos y cierto grado de retraso mental. Sin embargo, pueden vivir vidas normales y activas y contribuir positivamente a la sociedad.

Detectar las enfermedades genéticas

¿Hay alguna forma de saber antes de que un niño nazca si tendrá el síndrome de Down u otra enfermedad hereditaria? Afortunadamente, la respuesta es positiva. Un método para diagnosticar una enfermedad genética como el síndrome de Down es la **amniocentesis.** En la

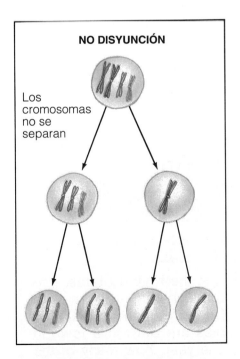

NO DISYUNCIÓN

Los cromosomas no se separan

Figura 3–14 *La no disyunción se produce cuando los cromosomas no se separan durante la meiosis. ¿Cuál es un trastorno genético resultante de la no disyunción?*

the removal of a small amount of fluid from the sac that surrounds a baby while it is still inside its mother's body. This fluid contains some of the baby's cells. Using a microscope, doctors can examine the chromosomes in these cells. In this way, doctors can discover whether or not an unborn child has Down syndrome. A new test that gives faster results than amniocentesis is now sometimes used as an alternative. This test requires the removal of cells from the membrane surrounding the developing baby.

Different tests can reveal the presence of other inherited disorders in addition to Down syndrome. Some tests to detect a genetic disorder can make it possible to treat the disorder before birth. Other tests can be performed immediately after birth so that treatment for a detected disorder can begin as soon as possible. Parents who are concerned that they might pass a genetic disorder on to their children should consult a genetic counselor.

Figure 3–15 *Down syndrome is a genetic disorder in which all the body cells have an extra twenty-first chromosome. Although people with Down syndrome are mentally and physically challenged, many lead full, active, and productive lives.*

Curing Genetic Disorders

At present, there are no cures for genetic disorders. However, doctors and scientists are working to develop possible cures. In the early 1980s, scientists discovered a chemical that could slightly change the structure of the gene that causes sickle cell anemia. Changing the structure of the sickle cell gene could help people with sickle cell anemia to produce larger amounts of normal hemoglobin. In 1982, doctors at three different hospitals in the United States gave the chemical to three patients with sickle cell anemia.

ACTIVITY

CALCULATING

Incidence of Down Syndrome

In the United States, one baby in 800 is born with Down syndrome. If 2400 babies are born in a town in one year, how many of the babies might be born with Down syndrome?

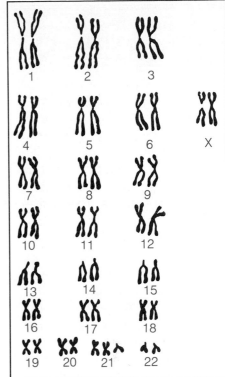

Figura 3–15 *El síndrome de Down es una enfermedad genética en que todas las células del cuerpo tienen un cromosoma 21 adicional. Aunque las personas con el síndrome de Down tienen dificultades mentales y físicas, muchas de ellas pueden vivir una vida plena, activa y productiva.*

amniocentesis, se extrae una pequeña cantidad de líquido de la bolsa que rodea al feto mientras está dentro de la madre. Este líquido contiene algunas células del feto. Con un microscopio, los médicos pueden examinar los cromosomas en esas células y descubrir así si un niño que aún no nacido tiene el síndrome de Down. Hay ahora una nueva prueba que da resultados más rápidos que la amniocentesis, que también se usa algunas veces. Esta prueba requiere la obtención de células de la membrana que rodea el feto en desarrollo.

Hay varias pruebas que pueden revelar la presencia de otras enfermedades hereditarias, además del síndrome de Down. Gracias a ellas, podría ser posible tratar las enfermedades antes del nacimiento. Otras pruebas podrían realizarse inmediatamente después del nacimiento a fin de comenzar el tratamiento lo antes posible. Los padres preocupados por la posibilidad de transmitir una enfermedad genética a sus hijos deben consultar con un consejero especializado en genética.

Cura de las enfermedades genéticas

No hay en la actualidad ninguna cura para las enfermedades genéticas. Sin embargo, los científicos están tratando de encontrar esas curas. A mediados de los años ochenta, descubrieron un producto químico que puede cambiar ligeramente la estructura del gene que causa la anemia de células falciformes. Al cambiar la estructura del gene, tal vez sea posible ayudar a las personas con anemia de células falciformes a producir una mayor cantidad de hemoglobina normal. En 1982, algunos médicos en tres hospitales diferentes de los Estados Unidos administraron ese producto a tres pacientes con células falciformes. Todos

ACTIVIDAD

PARA CALCULAR

Incidencia del síndrome de Down

En los Estados Unidos, uno de cada 800 niños nace con el síndrome de Down. Si nacen 2400 niños en una ciudad en un año, ¿cuántos podrían nacer con el síndrome de Down?

Every patient's condition improved. But the doctors cautioned that more tests must be performed before the chemical could be tried with large groups of patients. Then, if the tests are successful, sickle cell anemia would be curable.

In 1989, scientists identified the gene responsible for cystic fibrosis. Cystic fibrosis is the most common fatal inherited disease in the United States. Less than one year later, the scientists removed cells from cystic fibrosis patients and replaced the defective genes in these cells with normal genes. As a result of these laboratory experiments, the cystic fibrosis cells were "cured." It is a long way from being successful in the laboratory to curing an inherited disease in a person. Nevertheless, the first step has been taken toward such a cure for cystic fibrosis.

Ethical Questions

Probably no one would deny that the ability to detect genetic disorders is a good thing. But this ability also raises some very important questions for society as a whole. Should we allow children to be born with serious or fatal genetic disorders? When such children are born, who should be responsible for the cost of the expensive treatment they require? Can insurance companies refuse health insurance or life insurance to people who are carriers of certain genetic disorders? These and other similar questions are difficult to answer—if, in fact, they can be answered at all. But any attempt to find a solution will involve more than science—it will involve the human spirit.

3–3 Section Review

1. What is nondisjunction? How does it cause a genetic disorder?
2. What is another name for Down syndrome? Why is this other name appropriate?
3. What is amniocentesis?

Critical Thinking—*Applying Concepts*
4. Could a karyotype be used to detect a genetic disorder? Explain.

los pacientes mejoraron. Sin embargo, es preciso hacer más estudios antes de ensayar el producto en grupos más grandes. Si las pruebas tienen éxito, tal vez resulte posible curar la anemia de células falciformes.

En 1989, los científicos identificaron el gene responsable de la fibrosis cística. Esta es la enfermedad hereditaria más común en los Estados Unidos. Menos de un año después, obtuvieron células de pacientes enfermos y sustituyeron en ellas los genes defectuosos por genes normales. Como resultado de estos experimentos, las células de la fibrosis cística se "curaron." Aunque hay una gran diferencia entre el éxito en el laboratorio y la cura de una enfermedad en una persona, lo cierto es que se ha dado el primer paso hacia la cura de la fibrosis cística.

Problemas éticos

Es difícil que alguien niegue que la capacidad de detectar las enfermedades genéticas es algo positivo. Pero esta capacidad plantea también algunos problemas importantes para toda la sociedad. ¿Debemos permitir que nazcan niños con enfermedades genéticas graves o fatales? Cuando esos niños nacen, ¿quién debe ser responsable del costo del tratamiento que necesitan? ¿Pueden las compañías de seguros negar seguros médicos o seguros de vida a las personas portadoras de ciertas enfermedades genéticas? Estas preguntas y otras similares son difíciles de contestar, y tal vez no tengan respuesta. Pero los esfuerzos por encontrar una solución requerirán algo más que ciencia; requerirán la intervención del espíritu humano.

3–3 Repaso de la sección

1. ¿Qué es la no disyunción? ¿Qué causa esta enfermedad genética?
2. ¿Cuál es el otro nombre del síndrome de Down? ¿Por qué este nombre es apropiado?
3. ¿Qué es la amniocentesis?

Pensamiento crítico—*Aplicar conceptos*
4. ¿Podría usarse un cariotipo para detectar una enfermedad genética? Explica.

Hemophilia in History

Queen Victoria of England had a son and three grandsons with hemophilia. Victoria and at least two of her daughters and four of her granddaughters were carriers of the disease. That is, they carried the gene for hemophilia on one X chromosome. They did not have the disease because they carried a normal gene on the other X chromosome. However, they could pass the disease on to their offspring. Hemophilia spread throughout the royal families of Europe as Victoria's descendants passed the hemophilia gene on to their offspring.

Princess Alexandra, one of Queen Victoria's granddaughters, married the Russian czar Nicholas II. Alexandra was a carrier of hemophilia. She passed the disease on to her son, the czarevitch Alexis, who was the heir to the throne. Although Alexandra had no experience in ruling, she greatly influenced the actions of her husband, the czar. Unfortunately, she often made bad decisions based on her concern for her son. The monk Rasputin had convinced Alexandra that he could cure Alexis. As a result of his control over Alexandra, Rasputin was able to direct the czar's actions as well. The people's anger at Rasputin's evil influence over the royal family may have played some part in the Russian Revolution of 1917, in which the czar was overthrown.

La hemofilia en la historia

La Reina Victoria de Inglaterra tuvo un hijo y tres nietos hemofílicos. Victoria, y por lo menos dos de sus hijas y cuatro de sus nietas, eran portadoras de la enfermedad. Es decir, tenían el gene de la hemofilia en un cromosoma X. No tenían la enfermedad porque tenían un gene normal en el otro cromosoma X. Sin embargo, podían transmitir la enfermedad a su descendencia. La hemofilia se difundió en las familias reales de Europa al transmitir los descendientes de Victoria el gene de la hemofilia a su descendencia.

La Princesa Alejandra, una de las nietas de la Reina Victoria portadora del gene de la hemofilia, se casó con el zar Nicolás II de Rusia y transmitió la enfermedad a su hijo, el zarevich Alexis, heredero del trono. Aunque no tenía ninguna experencia de gobierno, Alejandra influyó mucho en la actuación de su marido, el zar, y tomó en muchos casos malas decisiones a causa de su preocupación por su hijo. El monje Rasputín había convencido a Alejandra de que podía curar a Alexis. Mediante su control sobre Alejandra, Rasputín podía también dirigir las acciones del zar. La ira de la población ante la influencia perniciosa de Rasputín sobre la familia real, puede haber contribuido a la revolución rusa de 1917, cuando fue derrocado el zar.

Laboratory Investigation

Reading a Human Pedigree

Problem

How can you use a human pedigree to trace the inheritance of sickle cell anemia through several generations of a family?

Materials *(per student)*

paper
pencil

Procedure

1. Study the following key for the symbols used on a human pedigree.
2. Study the pedigree shown here. This pedigree traces the pattern of inheritance of sickle cell anemia in several generations of a single family.

Observations

1. How many generations are shown on the pedigree?

2. Which parent in the first generation had sickle cell anemia?
3. How many children were born in the second generation?
4. How many of these children are carriers of sickle cell anemia?
5. How many children in the third generation have sickle cell anemia? How many are carriers?

Analysis and Conclusions

1. Is sickle cell anemia a sex-linked trait? How can you tell?
2. Is the gene for sickle cell anemia more likely to be dominant or recessive? Explain your answer.
3. **On Your Own**   How could a genetic counselor use a pedigree to advise parents who are worried about passing on an inherited disorder to their children?

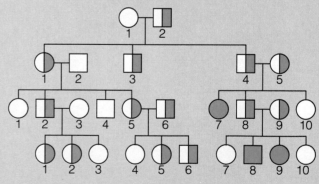

SICKLE CELL ANEMIA PEDIGREE

Investigación de laboratorio

Lectura de un árbol genealógico humano

Problema

¿Cómo puedes utilizar un árbol genealógico para determinar la herencia de la anemia de células falciformes en varias generaciones de una familia?

Materiales *(para cada estudiante)*

```
papel
lápiz
```

Procedimiento

1. Estudia los siguientes símbolos utilizados en un árbol genealógico.

2. Estudia el árbol genealógico que figura aquí, en que se indican las modalidades de la herencia de la anemia de células falciformes en varias generaciones de una familia.

Observaciones

1. ¿Cuántas generaciones se muestran en el árbol genealógico?

2. ¿Qué progenitor de la primera generación tenía anemia de células falciformes?

3. ¿Cuántos niños nacieron en la segunda generación?

4. ¿Cuántos de estos niños son portadores de la anemia?

5. ¿Cuántos niños de la tercera generación tienen anemia de células falciformes? ¿Cuántos son portadores?

Análisis y conclusiones

1. ¿Es la anemia de células falciformes un rasgo ligado al sexo?

2. ¿Es más probable que el gene de la anemia de células falciformes sea dominante o recesivo? Explica tu respuesta.

3. **Por tu cuenta** ¿Cómo puede un(a) consejero(a) genetista utilizar un árbol genealógico para asesorar a los padres preocupados por la posibilidad de transmitir una enfermedad hereditaria a sus hijos?

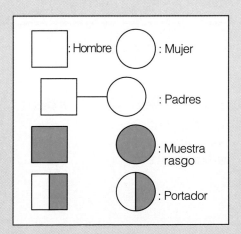

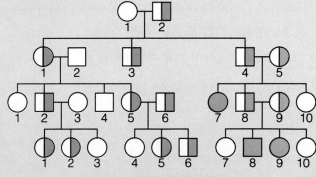

**ÁRBOL GENEALÓGICO PARA
LA ANEMIA DE CÉLULAS FALCIFORMES**

Summarizing Key Concepts

3–1 Inheritance in Humans

▲ Scientists can now apply some of the basic principles of genetics to the study of human heredity.

▲ Humans have 46 chromosomes arranged in 23 pairs.

▲ Sex is determined by the presence of a Y chromosome. Normal human males are XY; normal human females are XX.

▲ Each member of a gene pair that controls a specific trait is an allele.

▲ Some human traits, such as blood group and skin color, are controlled by multiple alleles.

▲ Sickle cell anemia is an example of an inherited disease caused by a gene mutation.

▲ A person's characteristics are determined by both heredity and environment.

3–2 Sex-linked Traits

▲ Traits that are carried on the X chromosome are called sex-linked traits.

▲ Males are more likely than females to inherit sex-linked traits.

▲ Two examples of inherited disorders caused by sex-linked recessive traits are hemophilia and colorblindness.

▲ A sex-influenced trait, such as male-pattern baldness, is a trait that is expressed differently in males than it is in females.

3–3 Human Genetic Disorders

▲ Down syndrome is a human genetic disorder caused by nondisjunction, or the failure of a chromosome pair to separate during meiosis.

▲ A karyotype shows the size, number, and shape of all the chromosomes in an organism.

▲ Some genetic disorders can be detected by means of tests such as amniocentesis.

▲ At present, there are no cures for human genetic disorders.

Reviewing Key Terms

Define each term in a complete sentence.

3–1 Inheritance in Humans
allele
codominant

3–2 Sex-linked Traits
sex-linked trait

3–3 Human Genetic Disorders
nondisjunction
karyotype
amniocentesis

Resumen de conceptos claves

3–1 La herencia en los seres humanos

▲ En la actualidad, los científicos pueden aplicar algunos principios básicos de la genética para estudiar la herencia humana.

▲ Los seres humanos tienen 46 cromosomas distribuidos en 23 pares.

▲ El sexo se determina por la presencia de un cromosoma Y. Los hombres normales son XY; las mujeres normales son XX.

▲ Cada miembro de un par de genes que controla un rasgo específico es un alelo.

▲ Algunos rasgos humanos, como el grupo sanguíneo y el color de la piel, son controlados por alelos múltiples.

▲ La anemia de células falciformes es un ejemplo de una enfermedad hereditaria causada por la mutación de un gene.

▲ Las características de una persona son determinadas por la herencia y el medio ambiente.

3–2 Rasgos ligados al sexo

▲ Los rasgos situados en el cromosoma X se llaman rasgos ligados al sexo.

▲ Los hombres tienen más probabilidad que las mujeres de heredar rasgos ligados al sexo.

▲ La hemofilia y el daltonismo son dos ejemplos de enfermedades hereditarias causadas por rasgos recesivos ligados al sexo.

▲ Un rasgo influído por el sexo, como la calvicie masculina, es un rasgo que se expresa en forma diferente en los hombres y en las mujeres.

3–3 Trastornos genéticos de los seres humanos

▲ El síndrome de Down es una enfermedad humana genética causada por la no disyunción, o la falta de separación, de un par de cromosomas durante la meiosis.

▲ Un cariotipo muestra el tamaño, el número y la forma de todos los cromosomas de un organismo.

▲ Es posible detectar algunas enfermedades genéticas mediante pruebas como la amniocentesis.

▲ No hay en la actualidad ninguna cura para las enfermedades genéticas humanas.

Repaso de palabras claves

Define cada palabra o palabras con una oración completa.

3–1 La herencia en los seres humanos
alelo
codominante

3–2 Rasgos ligados al sexo
rasgo ligado al sexo

3–3 Trastornos genéticos de los seres humanos
no disyunción
cariotipo
amniocentesis

Chapter Review

Content Review

Multiple Choice

Choose the letter of the answer that best completes each statement.

1. How many pairs of chromosomes do human body cells normally contain?
   a. 46
   b. 47
   c. 23
   d. 21
2. An example of a human trait that is controlled by multiple alleles is
   a. eye color.
   b. blood group.
   c. maleness.
   d. height.
3. "Bleeder's disease" is more accurately known as
   a. sickle cell anemia.
   b. hemophilia.
   c. Down syndrome.
   d. cystic fibrosis.
4. The genetic disorder caused by the wrong amino acid in hemoglobin is
   a. sickle cell anemia.
   b. hemophilia.
   c. Down syndrome.
   d. cystic fibrosis.

5. The human blood group that is determined by recessive alleles is
   a. A.
   b. B.
   c. AB.
   d. O.
6. A baby girl who inherits an A allele from her mother and an O allele from her father will have blood group
   a. A.
   b. B.
   c. AB.
   d. O.
7. A sex-linked trait is carried on
   a. the X chromosome only.
   b. the Y chromosome only.
   c. both the X and the Y chromosome.
   d. either the X or the Y chromosome.
8. Two human sex-linked disorders are hemophilia and
   a. sickle cell anemia.
   b. colorblindness.
   c. Down syndrome.
   d. male-pattern baldness.

True or False

If the statement is true, write "true." If it is false, change the underlined word or words to make the statement true.

1. The sex of a person is determined by the presence of <u>an X</u> chromosome.
2. A <u>karyotype</u> can also be called a family tree.
3. At present, it <u>is not</u> possible to cure genetic disorders.
4. Sex-linked traits are carried on the <u>Y</u> chromosome.
5. Colorblindness is <u>more</u> common in women than in men.
6. Sickle cell anemia is determined by <u>recessive</u> genes.
7. Male-pattern baldness is an example of a <u>sex-linked</u> trait.

Concept Mapping

Complete the following concept map for Section 3–1. Refer to pages E6–E7 to construct a concept map for the entire chapter.

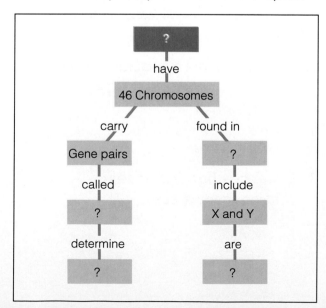

Repaso del capítulo

Repaso del contenido

Selección múltiple

Selecciona la letra de la respuesta que mejor complete cada frase.

1. ¿Cuántos pares de cromosomas contienen normalmente las células del cuerpo humano?
   a. 46
   b. 47
   c. 23
   d. 21

2. Un ejemplo de un rasgo humano controlado por alelos múltiples es
   a. el color de los ojos.
   b. el grupo sanguíneo.
   c. la masculinidad.
   d. la altura.

3. La "enfermedad hemorrágica" se conoce más exactamente como
   a. anemia de células falciformes.
   b. hemofilia.
   c. el síndrome de Down.
   d. fibrosis cística.

4. El trastorno genético causado por un aminoácido incorrecto en la hemoglobina es
   a. la anemia de células falciformes.
   b. la hemofilia.
   c. el síndrome de Down.
   d. la fibrosis cística.

5. El tipo sanguíneo determinado por alelos recesivos es el
   a. A.
   b. B.
   c. AB.
   d. O.

6. Una niña que hereda un alelo A de su madre y un alelo O de su padre tendrá el tipo sanguíneo
   a. A.
   b. B.
   c. AB.
   d. O.

7. Un rasgo ligado al sexo se transmite en
   a. el cromosoma X solamente.
   b. el cromosoma Y solamente.
   c. el cromosoma X y el cromosoma Y.
   d. el cromosoma X o el cromosoma Y.

8. Dos enfermedades humanas ligadas al sexo son la hemofilia y
   a. la anemia de células falciformes.
   b. el daltonismo.
   c. el síndrome de Down.
   d. la calvicie masculina.

Verdadero o falso

Si la afirmación es verdadera, escribe "verdad." Si es falsa, cambia las palabras subrayadas para que sea verdadera.

1. El sexo de una persona se determina por la presencia de un cromosoma X.

2. Un cariotipo puede también llamarse un árbol genealógico.

3. Actualmente no es posible curar las enfermedades genéticas.

4. Los rasgos ligados al sexo se transmiten en el cromosoma Y.

5. El daltonismo es más común en las mujeres que en los hombres.

6. La anemia de células falciformes es determinada por genes recesivos.

7. La calvicie masculina es un ejemplo de un rasgo ligado al sexo.

Mapa de conceptos

Completa el siguiente mapa de conceptos para la sección 3–1. Para hacer un mapa de conceptos de todo el capítulo, consulta las páginas E6–E7.

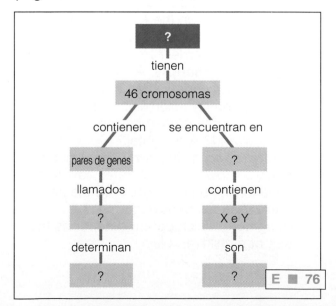

Concept Mastery

Discuss each of the following in a brief paragraph.

1. Explain how human blood groups are inherited.
2. Compare the two inherited blood diseases sickle cell anemia and hemophilia.
3. Explain the difference between a sex-linked trait and a sex-influenced trait. Use examples to describe the inheritance of a sex-linked trait and a sex-influenced trait.
4. How do the genes you inherited from your mother and father determine the color of your eyes?
5. Does colorblindness occur more frequently in men or in women? Explain.
6. What is nondisjunction? How can nondisjunction cause a genetic disorder?
7. Describe the process of amniocentesis. How is amniocentesis used to detect a disorder such as Down syndrome?
8. Why is sickle cell anemia in the United States most common among people of African American descent?

Critical Thinking and Problem Solving

Use the skills you have developed in this chapter to answer each of the following.

1. **Making predictions** Mrs. Smith has the genotype AO for blood group. Mr. Smith has the genotype BB. Predict the possible blood groups of their children. Draw a Punnett square to help you make your prediction.
2. **Relating concepts** A common form of an inherited disease called muscular dystrophy is caused by a mutation in a gene that is carried on the X chromosome. Is muscular dystrophy an example of a sex-linked disorder? How do you know?
3. **Applying concepts** A man who is colorblind marries a woman who is a carrier of the gene for colorblindness. What is the probability of their having a son who is colorblind? A daughter?
4. **Interpreting a diagram** The Punnett square shown here illustrates sex determination in humans. What are the parents' chances of having a son? A daughter? Which parent determines the sex of a child? Explain.
5. **Using the writing process** As the science reporter for your school newspaper, you have been assigned to interview a doctor who is doing research to try to find a cure for a genetic disorder. Write out a list of questions that you would like to ask the doctor.

XX × XY
Mother   Father

	X	Y
X	XX Daughter	XY Son
X	XX Daughter	XY Son

Dominio de conceptos

Comenta cada uno de los puntos siguientes en un párrafo breve.

1. Explica cómo se heredan los tipos sanguíneos humanos.

2. Compara estas dos enfermedades hereditarias de la sangre: la anemia de células falciformes y la hemofilia.

3. Explica la diferencia entre un rasgo ligado al sexo y un rasgo influído por el sexo. Usa ejemplos para describir la herencia de un rasgo ligado al sexo y de uno influído por el sexo.

4. ¿Cómo determinan los genes que has heredado de tu madre y tu padre el color de tus ojos?

5. ¿Es el daltonismo más frecuente en los hombres o en las mujeres? Explica.

6. ¿Qué es la no disyunción? ¿Cómo puede la no disyunción causar una enfermedad genética?

7. Describe el proceso de la amniocentesis. ¿Cómo se usa la amniocentesis para detectar una enfermedad como el síndrome de Down?

8. ¿Por qué en los Estados Unidos la anemia de células falciformes es más común entre las personas de origen afroamericano?

Pensamiento crítico y solución de problemas

Usa las destrezas que has desarrollado en este capítulo para resolver lo siguiente.

1. **Hacer predicciones** La Sra. Smith tiene el genotipo del grupo sanguíneo AO. El Sr. Smith tiene el genotipo BB. Trata de predecir los posibles grupos sanguíneos de sus hijos. Haz un cuadro de Punnett para ayudarte en tus predicciones.

2. **Relacionar conceptos** Una forma común de una enfermedad hereditaria llamada distrofia muscular es causada por una mutación de un gene que se transmite en el cromosoma X. ¿Es la distrofia muscular un ejemplo de una enfermedad ligada al sexo? ¿Cómo lo sabes?

3. **Aplicar conceptos** Un hombre daltónico se casa con una mujer que es portadora de un gene para el daltonismo. ¿Cuáles son las probabilidades de que tengan un hijo daltónico? ¿Y una hija?

4. **Interpretar un diagrama** El cuadro de Punnett que se muestra aquí ilustra la determinación del sexo en los seres humanos. ¿Cuáles son las probabilidades de que los progenitores tengan un hijo? ¿Y una hija? ¿Qué progenitor determina el sexo de un bebé? Explica esto.

5. **Usar el proceso de la escritura** En tu calidad de reportero científico para el periódico de tu escuela, se te ha asignado la tarea de entrevistar a un médico que está haciendo investigaciones para encontrar la cura de una enfermedad genética. Haz una lista de las preguntas que te gustaría hacerle.

	XX Madre X XY Padre	
	X	**Y**
X	XX Hija	XY Hijo
X	XX Hija	XY Hijo

Applied Genetics

Guide for Reading

After you read the following sections, you will be able to

4–1 Plant and Animal Breeding

■ Define selective breeding.

■ Explain the difference between hybridization and inbreeding.

4–2 Genetic Engineering

■ Describe some examples of genetic engineering.

■ Explain how recombinant DNA is produced.

■ Describe some applications of genetic engineering.

Do you know how to make a supermouse? Biologists at the University of Pennsylvania do. To make a supermouse, they first take a fertilized egg from an ordinary mouse. Then they place the egg under a microscope that magnifies the egg about 400 times. Now comes the really tricky part. Very carefully, the scientists inject a clear liquid containing a new gene into the mouse egg. How does this procedure produce a supermouse?

The answer to this question is hidden in the new gene. Remember that genes control the production of specific proteins. The new gene that is injected into the fertilized mouse egg controls the production of a protein called rat growth hormone. Inside the fertilized mouse egg, the transplanted new gene causes the developing mouse to produce rat growth hormone. As the mouse develops, the hormone causes it to grow to twice its normal size. It grows into a supermouse!

In this chapter you will learn how humans have used genetics to produce more nutritious crop plants and stronger, healthier farm animals. You will also find out how scientists are learning to apply the principles of genetics in medicine and agriculture.

Journal *Activity*

You and Your World What do you know about the controversy over the use of genetic engineering in agriculture and medicine? In your journal, describe what you know about genetic engineering and explain why it is controversial.

◀ *These two mice from the same litter illustrate the effect of growth hormone. The mouse on the left, which contains the growth hormone gene, is almost twice the size and weight of the normal mouse on the right.*

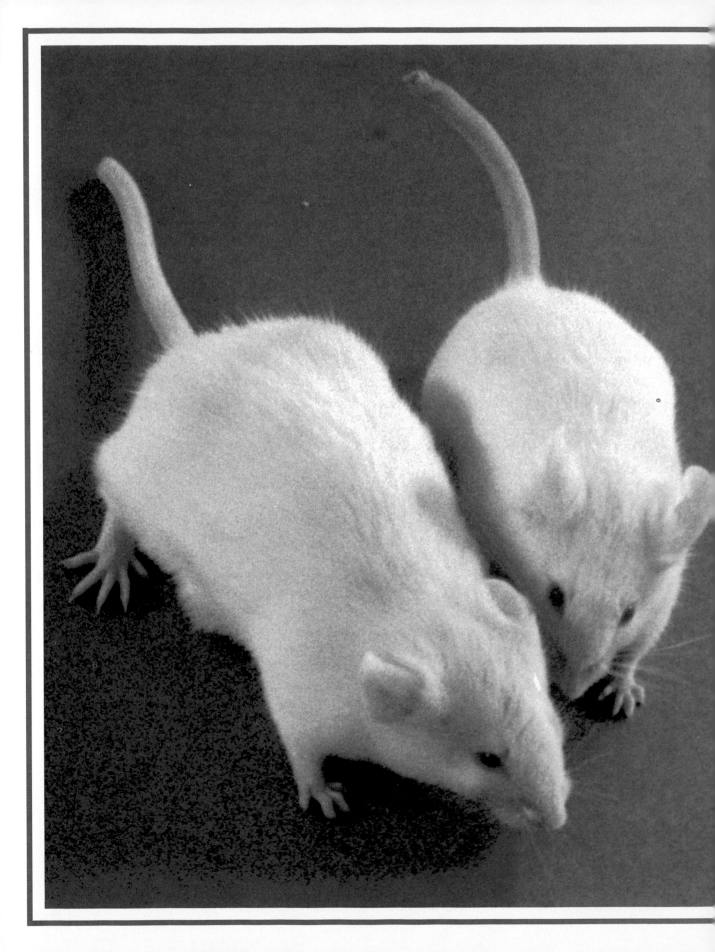

Genética aplicada

¿Cómo se puede producir un superratón? Los biólogos de la Universidad de Pennsylvania pueden hacerlo. Toman primero un óvulo fertilizado de un ratón ordinario y lo colocan bajo un microscopio que lo magnifica alrededor de 400 veces. Ahora viene lo difícil. Con mucho cuidado, inyectan un líquido transparente que contiene un nuevo gene en el óvulo del ratón. ¿Cómo produce esto un superratón?

La respuesta a esta pregunta está oculta en el nuevo gene. Recordarás que los genes controlan la producción de proteínas específicas. El nuevo gene que se inyecta en el óvulo fertilizado controla la producción de una proteína llamada hormona del crecimiento de las ratas. Dentro del óvulo fertilizado, el nuevo gene trasplantado hace que el ratón produzca esa hormona. Al desarrollarse el ratón, la hormona hace que crezca al doble de su tamaño normal. ¡Se convierte así en un superratón!

En este capítulo aprenderás cómo se ha utilizado la genética para producir plantas más nutritivas y animales más fuertes y más sanos, y cómo los científicos están aprendiendo a aplicar los principios de la genética a la medicina y a la agricultura.

Diario *Actividad*

Tú y tu mundo ¿Qué sabes sobre la controversia acerca del uso de la ingeniería genética en la agricultura y la medicina? En tu diario, describe lo que sabes sobre la ingeniería genética y explica por qué es controversial.

Estos dos ratones de la misma camada ilustran el efecto de la hormona del crecimiento. El de la izquierda, que contiene el gene de la hormona del crecimiento, tiene casi el doble del tamaño y peso del ratón normal de la derecha.

![A]ctivity Bank

How Can You Grow a Plant From a Cutting?, p.110

4–1 Plant and Animal Breeding

More than 12,000 years ago, people living in the part of the world now called Iraq discovered that wild wheat could be used as food. Through a process of trial and error, these early farmers were able to select and grow wheat that had larger and more nutritious grains than the original wild wheat. People have been breeding plants and animals to produce certain desired traits ever since. This process is called **selective breeding.** Selective breeding is the crossing of plants or animals that have desirable characteristics to produce offspring with those desirable characteristics. Through selective breeding, modern plant and animal breeders are able to produce organisms that are larger in size, provide more food, or are resistant to certain diseases. For example, leaner cattle produce low-fat beef that is more healthful than the beef from fatter cattle. What other examples of selective breeding are you familiar with?

Figure 4–1 *Selective plant and animal breeding has resulted in modern strains of nutritious wheat and disease-resistant cattle.*

Pozo de actividades

Cómo cultivar una planta a partir de un tallo, p. 110

4–1 Cría de animales y plantas

Hace más de 12,000 años, los habitantes de una región del mundo que ahora se llama Iraq descubrieron que podían usar el trigo silvestre como alimento. Mediante un proceso de prueba y error, estos primeros agricultores seleccionaron y cultivaron trigo con granos más grandes y nutritivos que el trigo silvestre original. Desde entonces, se han cruzado plantas y animales para conseguir ciertos rasgos deseables. Este proceso, llamado **cría selectiva,** consiste en el cruzamiento de plantas y animales con características deseables para producir descendencia con esas características. A través de la cría selectiva los productores modernos pueden obtener organismos más grandes, más alimenticios o resistentes a ciertas enfermedades. Por ejemplo, el ganado magro produce carne con poca grasa, más saludable que la carne del ganado gordo. ¿Qué otros ejemplos de cría selectiva conoces?

Figura 4–1 *Mediante la cría selectiva de animales y plantas se han conseguido variedades modernas de trigo nutritivo y de ganado resistente a las enfermedades.*

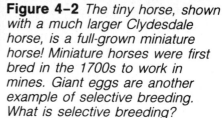

Figure 4–2 *The tiny horse, shown with a much larger Clydesdale horse, is a full-grown miniature horse! Miniature horses were first bred in the 1700s to work in mines. Giant eggs are another example of selective breeding. What is selective breeding?*

Hybridization

Sometimes breeders produce desired traits in the offspring by combining two or more different traits from the parents. To do this, breeders use a technique called **hybridization** (high-brihd-ih-ZAY-shuhn). **Hybridization is the crossing of two genetically different but related species of organisms.** When the organisms are crossed, a hybrid is produced. (Recall from Chapter 1 that a hybrid is an organism that has two different genes for a particular trait.) A hybrid organism is bred to have the best traits of both parents. For example, a mule is a hybrid that combines the traits of two different species, horses and donkeys. A mule is the offspring of a female horse and a male donkey.

Some hybrids are produced naturally. Ancient wild wheat, for example, was a hybrid that formed naturally from the crossing of one species of wild wheat with a species of wild goat grass. The result was a wheat plant with nutritious grains that could be made into bread. Early farmers were able to preserve this new hybrid wheat by selecting some of the best grains and planting them for the next harvest.

ACTIVITY

WRITING

Luther Burbank

The American plant breeder Luther Burbank produced hundreds of new plant varieties through selective breeding. Read a biography of Burbank and write a report describing some of his contributions to selective plant breeding.

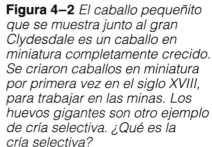

Figura 4–2 *El caballo pequeñito que se muestra junto al gran Clydesdale es un caballo en miniatura completamente crecido. Se criaron caballos en miniatura por primera vez en el siglo XVIII, para trabajar en las minas. Los huevos gigantes son otro ejemplo de cría selectiva. ¿Qué es la cría selectiva?*

Hibridación

Algunas veces se consiguen rasgos deseables en la descendencia combinando dos o más rasgos diferentes de los progenitores. Se usa para esto una técnica llamada **hibridación, que consiste en el cruzamiento de dos especies genéticamente diferentes, aunque emparentadas, de organismos.** Cuando los organismos se cruzan, se produce un híbrido. (En el capítulo 1 has aprendido que un híbrido es un organismo que tiene dos genes distintos para un rasgo determinado.) Los organismos híbridos se crían para que tengan los mejores rasgos de ambos progenitores. Por ejemplo, la mula es un híbrido que combina los rasgos de dos especies diferentes, los caballos y los burros. Es la descendencia de una yegua y un burro.

Algunos híbridos se producen naturalmente. Por ejemplo, el antiguo trigo silvestre era un híbrido formado naturalmente a raíz del cruzamiento de una especie de trigo silvestre con una especie de pasto silvestre. El resultado era una planta con granos nutritivos con los que se podía hacer pan. Los primeros agricultores conservaron este nuevo trigo híbrido seleccionando algunos de los mejores granos y plantándolos para la nueva cosecha.

ACTIVIDAD

PARA ESCRIBIR

Luther Burbank

El criador de plantas norte-americano Luther Burbank desarrolló centenares de nuevas variedades de plantas mediante el cruzamiento selectivo. Lee una biografía de Burbank y prepara un informe describiendo algunas de sus contribuciones a la producción selectiva de plantas.

Figure 4–3 *A mule (bottom) combines the best traits of a horse (top left) and a donkey (top right). What is this selective-breeding technique called?*

In some ways, hybrid offspring may have traits that are better than those of either parent. The hybrid offspring may be stronger or healthier than its parents. Such offspring are said to have hybrid vigor. The word vigor means strength or health. Mules, for example, have more endurance than horses and are stronger than donkeys. One disadvantage of hybridization, however, is that the hybrid offspring is usually sterile, or unable to reproduce.

Inbreeding

Another selective-breeding technique is called **inbreeding.** Inbreeding is the opposite of hybridization. **Inbreeding involves crossing plants or animals that have the same or similar sets of genes, rather than different genes.** Inbred plants or animals have genes that are very similar to their

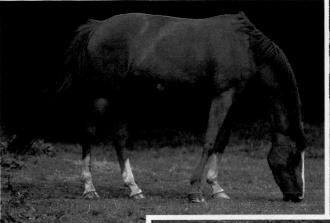

Figura 4–3 *Una mula (abajo) combina los mejores caracteres de un caballo (arriba a la izquierda) y un burro (arriba a la derecha). ¿Cómo se llama esta técnica de cría selectiva?*

ACTIVIDAD
PARA HACER

Clonación

Un clon es un organismo genéticamente idéntico a sus progenitores. Las uvas sin semillas y las naranjas de ombligo son ejemplos de clones. Con materiales de referencia de la biblioteca, procura aprender más sobre la clonación. ¿Cuáles son algunos métodos de clonación? ¿Qué clases de organismos pueden producirse mediante ella? Haz un cartel o prepara una colección de ilustraciones para mostrar lo que has averiguado.

La descendencia híbrida puede tener rasgos mejores que los de sus progenitores. Puede ser más fuerte o más sana que ellos. Se dice entonces que tiene vigor híbrido. La palabra vigor significa fuerza o salud. Por ejemplo, las mulas son más resistentes que los caballos y más fuertes que los burros. Sin embargo, una desventaja de la hibridación es que la descendencia híbrida es generalmente estéril, o incapaz de reproducirse.

Endogamia

Otra técnica de cría selectiva se llama **endogamia**. Es lo contrario de la hibridación y consiste en **el cruzamiento de plantas o animales que tienen conjuntos de genes iguales o similares, en lugar de genes diferentes.** Las plantas o animales tienen así genes muy similares a los de sus progenitores. Un propósito de la

Figure 4–4 *As a result of inbreeding, all cheetahs are closely related and are susceptible to the same diseases. Why might this be hazardous to the cheetahs' survival?*

parents' genes. One purpose of inbreeding is to keep various breeds of animals, such as horses, pure. Purebred animals tend to keep and pass on their desirable traits. For example, a purebred racehorse that has won many races may be able to pass on its speed and strength to its offspring.

Unfortunately, inbreeding reduces an offspring's chances of inheriting new gene combinations. In other words, inbreeding produces organisms that are genetically similar. This similarity, or lack of genetic difference, in inbred plants and animals may cause the organisms to be susceptible to certain diseases or changing environmental conditions. For example, almost all cheetahs are genetically identical. If all cheetahs have nearly the same genes, they are all susceptible to the same diseases. As a result, wild cheetahs might eventually become extinct, or die off.

4–1 Section Review

1. What is selective breeding?
2. How is inbreeding different from hybridization?
3. What is one advantage of inbreeding? What is one disadvantage?

Critical Thinking—*Making Inferences*

4. Why do you think animals that are produced through inbreeding look so much alike?

Figura 4–4 *Como resultado de la endogamia, todos los leopardos chita están muy emparentados y son susceptibles a las mismas enfermedades. ¿Por qué esto puede ser peligroso para su supervivencia?*

endogamia es mantener puras las distintas razas de animales, como los caballos. Los animales de pura raza tienden a mantener y transmitir sus rasgos deseables. Por ejemplo, un caballo de pura sangre que ha ganado muchas carreras, puede transmitir su velocidad y su fuerza a su descendencia.

Pero la endogamia reduce las posibilidades de que la descendencia herede nuevas combinaciones de genes. En otras palabras, produce organismos genéticamente similares. Esta similitud, o falta de diferencia genética, en las plantas o animales endógamos puede hacer que sean susceptibles a algunas enfermedades o a condiciones ambientales cambiantes. Por ejemplo, casi todos los leopardos chita son genéticamente idénticos. Al tener genes casi iguales, son susceptibles a las mismas enfermedades. Es posible que por eso lleguen a extinguirse, o sea, a desaparecer.

4–1 Repaso de la sección

1. ¿Qué es la cría selectiva?
2. ¿En qué difiere la endogamia de la hibridación?
3. ¿Cuál es una ventaja y una desventaja de la endogamia?

Pensamiento crítico—*Hacer deducciones*
4. ¿Por qué crees que los animales producidos mediante endogamia se parecen tanto?

ACTIVIDAD

PARA HACER

Examen de distintas frutas

En esta actividad examinarás un tangelo, que es una cruza entre una toronja y una mandarina, y compararás sus características con las de una toronja y una mandarina.

1. Consigue un tangelo, una toronja y una mandarina. Coloca cada uno sobre una toalla de papel.

2. Haz una tabla de datos para registrar los siguientes rasgos de cada fruta: tamaño, color, tamaño de las semillas, jugo, sabor, olor.

3. Con un cuchillo, corta cada fruta por la mitad. **CUIDADO:** *Ten cuidado al usar un cuchillo o cualquier otro instrumento cortante.*

4. Examina el tangelo, la toronja y la mandarina teniendo en cuenta cada uno de los rasgos incluídos en la tabla de datos, y apunta tus observaciones.

¿Cuáles eran los rasgos deseables y los rasgos indeseables de cada fruta?

¿Por qué los productores desarrollan frutas como los tangelos?

Guide for Reading

Focus on these questions as you read.

▶ How does the process of genetic engineering use recombinant DNA?

▶ What are some products of genetic engineering?

4–2 Genetic Engineering

At one time, most hybrid plants and animals were produced through selective-breeding techniques. In the not-too-distant future, **genetic engineering** may be the primary method of producing hybrids. **Genetic engineering is the process in which genes, or pieces of DNA, from one organism are transferred into another organism.** The production of the supermouse you read about at the beginning of this chapter is an example of genetic engineering.

Recombinant DNA

In one form of genetic engineering, parts of an organism's DNA are joined to the DNA of another organism. The new piece of combined DNA is called **recombinant DNA.** Pieces of recombinant DNA contain DNA from two different organisms. Usually, DNA is transferred from a complex organism (such as a human) into a simpler one (such as a bacterium or a yeast cell). Bacteria and yeast cells are used because they reproduce quickly. As the bacteria or yeast cells reproduce, copies of the recombinant DNA are passed on from one generation to the next. In each generation, the human DNA causes the bacteria or yeast cells to produce human protein.

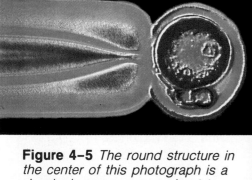

Figure 4–5 *The round structure in the center of this photograph is a developing mouse egg about to be injected with recombinant DNA. The strange-looking plant glows in the dark because it contains firefly genes. The transparent objects in the dish are synthetic celery seeds.*

4–2 Ingeniería genética

Hace un tiempo, la mayoría de las plantas y los animales híbridos se producían mediante técnicas de cría selectiva. En un futuro no muy distante, es posible que la **ingeniería genética** sea el principal método para producir híbridos. **La ingeniería genética es el proceso mediante el cual se transfieren genes, o trozos de ADN, de un organismo a otro.** La producción del superratón descrito al comienzo de este capítulo es un ejemplo de ingeniería genética.

ADN recombinante

En la ingeniería genética se unen partes del ADN de un organismo con el ADN de otro. Este nuevo trozo de ADN combinado se llama **ADN recombinante** y contiene ADN de dos organismos diferentes. Generalmente se transfiere ADN de un organismo complejo (como un ser humano) a uno simple (como una bacteria o una levadura). Las bacterias y las levaduras se usan porque se reproducen rápidamente. Al reproducirse, se traspasan copias del ADN recombinante de una generación a la siguiente. En cada generación, el ADN humano hace que las bacterias o las levaduras produzcan proteínas humanas.

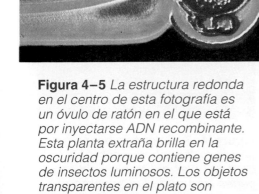

Figura 4–5 *La estructura redonda en el centro de esta fotografía es un óvulo de ratón en el que está por inyectarse ADN recombinante. Esta planta extraña brilla en la oscuridad porque contiene genes de insectos luminosos. Los objetos transparentes en el plato son semillas sintéticas de apio.*

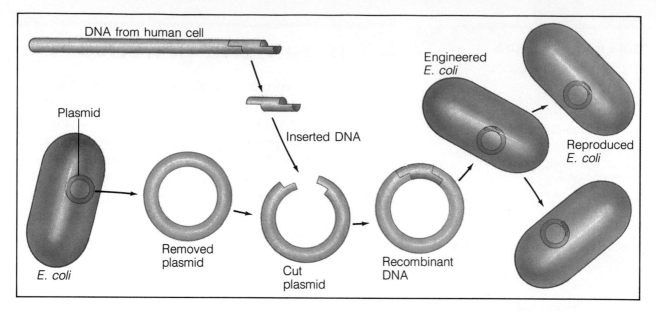

Figure 4–6 *To make recombinant DNA, a plasmid from a bacterium such as* E. coli *is snipped open. A short piece of DNA is then removed from a human cell. The human DNA is inserted into the cut plasmid. Then the plasmid is placed back into the bacterium. What happens next?*

Activity Bank

How Do Bacteria Grow?, p.112

Making Recombinant DNA

Scientists use special techniques to make recombinant DNA. Figure 4–6 illustrates this process using bacterial and human DNA. Refer to this diagram as you read the description that follows.

Some of the DNA in the bacterium *E. coli* is in the form of a ring called a **plasmid.** You might think of a plasmid as a circle of string. Using special techniques, scientists first remove a plasmid from a bacterium and cut it open. Then they remove a piece of DNA from a human cell. Think of this human DNA as a short piece of string. The scientists then "tie" this piece of human DNA to the cut ends of the bacterial DNA. The bacterial DNA again forms a closed ring. But the bacterial DNA ring now contains a human gene that directs the production of a human protein!

Finally, the scientists put the recombinant DNA back into the bacterial cell. What do you think happens next? The bacterial cell and all its offspring now produce the human protein coded for by the gene in the human DNA. In this way, large amounts of human protein can be produced outside the human body.

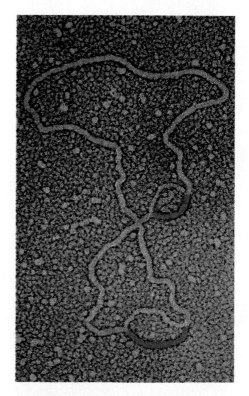

Figure 4–7 *Color has been added to this photograph of a bacterial plasmid to highlight two genes (red and blue sections of the plasmid).*

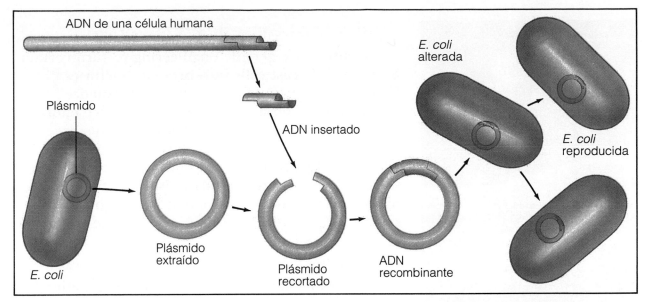

ADN de una célula humana

Plásmido

E. coli

Plásmido extraído

ADN insertado

Plásmido recortado

ADN recombinante

E. coli alterada

E. coli reproducida

Figura 4–6 *Para producir ADN recombinante, se abre un plásmido de una bacteria como la* E. coli. *Se extrae luego un trozo de ADN de una célula humana, se inserta el ADN humano en el plásmido recortado y vuelve a colocarse el plásmido en la bacteria. ¿Qué ocurre a continuación?*

Pozo de actividades

¿Cómo crecen las bacterias?
p. 112

Producción de ADN recombinante

Los científicos usan técnicas especiales para producir ADN recombinante. En la figura 4–6 se ilustra este proceso utilizando ADN bacteriano y humano. Observa este diagrama al leer la descripción que se hace a continuación.

Parte del ADN de la *E. coli* está en forma de un anillo llamado **plásmido**. Imagina que un plásmido es un aro de cuerda. Usando técnicas especiales, los científicos extraen en primer término un plásmido de una bacteria y lo abren. Extraen a continuación un trozo de ADN de una célula humana. Imagina que este ADN humano es un trozo pequeño de cuerda. Los científicos "anudan" este trozo de ADN humano a los bordes cortados del ADN bacteriano, que vuelve a formar así un anillo cerrado. ¡Pero ese anillo contiene ahora un gene humano que dirige la producción de una proteína humana!

Por último, se coloca nuevamente el ADN recombinante en una célula bacteriana. ¿Qué pasa entonces? La célula bacteriana y toda su descendencia producen ahora la proteína humana codificada por el gene del ADN humano. Se pueden producir así grandes cantidades de proteína humana fuera del cuerpo humano.

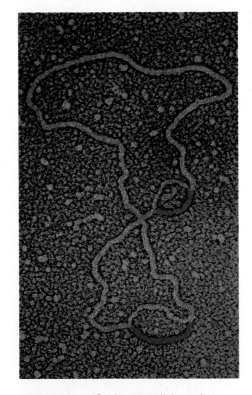

Figura 4–7 *Se ha añadido color a esta fotografía de un plásmido bacteriano para poner de relieve dos genes (las secciones roja y azul del plásmido).*

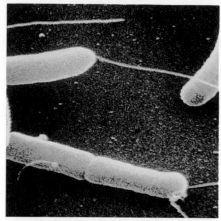

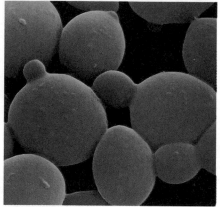

Figure 4–8 *Bacteria, such as* E. coli *(top), and yeast cells (bottom) are often used by scientists to make recombinant DNA. Why are bacteria and yeast useful for this purpose?*

A̲CTIVITY

READING

Return of the Dinosaurs

For a fictional account of how genetic engineering might help scientists recreate extinct dinosaurs, read *Jurassic Park* by Michael Crichton.

Products of Genetic Engineering

Scientists use genetic engineering to turn certain bacteria and yeast cells into protein "factories." Grown in huge containers, billions of genetically engineered bacteria and yeast cells produce enormous quantities of proteins. These proteins have important uses in both medicine and agriculture. In medicine, the proteins are used to test for diseases such as AIDS, to treat human disorders such as diabetes, and to make vaccines that help fight diseases such as hepatitis B. In agriculture, genetic engineering is used to help make plants resistant to cold, drought, and disease.

MEDICINE One important product of genetic engineering is human insulin. Without this hormone, the level of sugar in the blood rises, causing a disorder called diabetes mellitus. Some people with diabetes must receive one or more injections of insulin daily. In the past, the insulin used to treat diabetes came from animals such as pigs and cattle. However, many people with diabetes were allergic to this animal insulin. In addition, supplies of animal insulin were limited and expensive. Today, human insulin is produced by genetically engineered bacteria. This insulin does not cause allergies in humans. Supplies are plentiful, and the insulin is inexpensive as a result.

Another protein made by bacteria through genetic engineering is human growth hormone. This hormone, which is normally produced by a gland near the brain, controls growth. A lack of human growth hormone prevents children from growing to their full height. Children whose bodies do not produce enough human growth hormone can be given injections of the hormone. These children often grow 6 to 8 centimeters more each year than they would without the injections of growth hormone. Until 1981, however, there was only a limited supply of human growth hormone available. Many children could not be treated. Then in 1982, bacteria were genetically engineered to produce human growth hormone. Now an almost unlimited supply is available.

Vaccines can also be produced through genetic engineering. When introduced into a person's body, a vaccine triggers the production of antibodies.

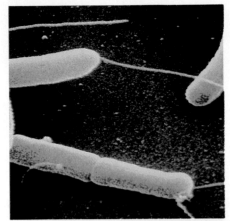

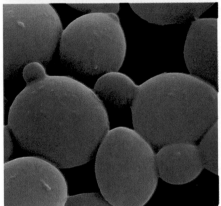

Figura 4–8 *Los científicos usan a menudo bacterias como la* E. coli *(arriba) y levaduras (abajo) para producir ADN recombinante. ¿Por qué son útiles para esto las bacterias y las levaduras?*

ACTIVIDAD

PARA LEER

El regreso de los dinosaurios

En *Jurassic Park* de Michael Crichton, encontrarás un relato novelado de la forma en que la ingeniería genética podría ayudar a los científicos a crear dinosaurios extintos.

Productos de la ingeniería genética

Los científicos usan la ingeniería genética para convertir ciertas bacterias y levaduras en "fábricas" de proteínas. Miles de millones de bacterias y levaduras genéticamente modificadas, cultivadas en recipientes inmensos, producen enormes cantidades de proteínas, utilizadas para la medicina y la agricultura. En la medicina, se usan para determinar la presencia de enfermedades como el SIDA, para tratar enfermedades como la diabetes y para elaborar vacunas que ayudan a combatir enfermedades como la hepatitis B. En la agricultura, la ingeniería genética se usa para producir plantas resistentes al frío, a la sequía y a las enfermedades.

MEDICINA Un producto importante de la ingeniería genética es la insulina humana. Sin esta hormona, aumenta el nivel de azúcar en la sangre y se produce una enfermedad llamada diabetes mellitus. Algunas personas diabéticas necesitan una o más inyecciones de insulina por día. Anteriormente, esa insulina se extraía de animales como los cerdos y las vacas. Sin embargo, muchos diabéticos eran alérgicos a esa insulina animal, que además era escasa y costosa. Hoy, mediante bacterias genéticamente alteradas, se produce insulina humana. Ésta no causa alergia a los seres humanos. Como resultado, la producción es abundante y la insulina es económica.

Otra proteína producida por bacterias y gracias a la ingeniería genética, es la hormona del crecimiento humano. Esta hormona es producida normalmente por una glándula situada cerca del cerebro y controla el crecimiento. Si falta, los niños no alcanzan las alturas adecuadas para su edad. En estos casos si reciben inyecciones de la hormona del crecimiento, pueden crecer entre 6 y 8 cm más por año. Sin embargo, hasta 1981 sólo había cantidades muy limitadas de la hormona del crecimiento humano. Muchos niños no podían recibir ningún tratamiento. En 1982, se modificaron genéticamente ciertas bacterias para producir esa hormona. Actualmente la cantidad disponible es ilimitada.

Mediante la ingeniería genética también pueden elaborarse vacunas. Cuando se introducen en el cuerpo de una persona, las vacunas desencadenan la producción de anticuerpos. Los anticuerpos protegen a las personas contra

Figure 4-9 *Children normally grow at different rates. If a child's body does not produce sufficient amounts of human growth hormone, however, genetically engineered human growth hormone may be administered.*

Antibodies protect a person from disease. Vaccines are made from disease-causing viruses or bacteria. At one time, making the vaccine for hepatitis B (a serious liver disease) was expensive. Now scientists can remove a gene from the hepatitis B virus and insert the gene into a yeast cell. The yeast cell multiplies rapidly and makes large amounts of viral protein. The viral protein is then used to make hepatitis B vaccine. Hepatitis B vaccine is now less expensive to make than it was before genetic engineering.

Another product of genetic engineering is interferon. Interferon, a protein normally produced by human body cells, helps the body fight viruses. One form of interferon may even be helpful in fighting the AIDS virus. Scientists are not really sure how interferon fights viruses. But they do know that when a virus enters a cell, the cell produces interferon. The interferon then leaves the infected cell and somehow prevents the virus from infecting other cells. Interferon was once very expensive to make. But now, as a result of genetic engineering, supplies of interferon are less expensive and more plentiful.

AGRICULTURE A wide variety of viruses infect important crop plants, including wheat, corn, potatoes, tomatoes, and tobacco. For example, a virus called tobacco mosaic virus attacks and damages tobacco and tomato plants. Scientists have now found a way to protect these plants from the disease-causing virus. Using genetic engineering, scientists can insert genes from the tobacco mosaic virus into plant cells. Although scientists do not yet know why, the viral genes make the plant resistant to tobacco mosaic disease.

Figure 4-10 *You can see the effects of tobacco mosaic virus on the leaves of the tobacco plant. How might genetic engineering help to protect plants from being infected with the tobacco mosaic virus (inset)?*

Figura 4–9 *Los niños crecen normalmente a ritmos distintos. Sin embargo, si el cuerpo de un niño no produce una cantidad suficiente de hormona del crecimiento humano, se le puede administrar esa hormona, producida mediante la ingeniería genética.*

las enfermedades. Se hacen vacunas con virus o bacterias que causan enfermedades. En un tiempo, la fabricación de la vacuna para la hepatitis B (una enfermedad hepática grave) era muy costosa. Ahora, los científicos pueden extraer un gene del virus de la hepatitis B e insertarlo en una célula de levadura. La levadura se multiplica rápidamente y produce grandes cantidades de proteína del virus, que se usa para fabricar vacunas contra la hepatitis B. Esas vacunas son ahora mucho menos costosas.

Otro producto de la ingeniería genética es la interferona. Ésta es una proteína producida normalmente por las células del cuerpo humano que ayuda a combatir los virus. Es posible que una forma de interferona sea útil para luchar contra el virus del SIDA. Los científicos no saben exactamente cómo la interferona combate los virus. Pero sí saben que cuando un virus entra en una célula, la célula produce interferona. La interferona abandona entonces la célula infectada e impide que el virus infecte otras células. Antes, la interferona era muy difícil de producir, pero en la actualidad, como resultado de la ingeniería genética, la producción de la interferona es más económica y, por lo tanto, más abundante.

AGRICULTURA Hay muchos virus que infectan cultivos importantes, entre ellos el trigo, el maíz, las papas, los tomates y el tabaco. Por ejemplo, un virus llamado mosaico del tabaco, ataca y daña las plantas de tabaco y de tomate. Los científicos han encontrado ahora una forma de proteger esas plantas contra el virus. Utilizando la ingeniería genética, pueden insertar genes del mismo virus en las células de las plantas. Aunque todavía no se sabe por qué, los genes del virus hacen que las plantas sean resistentes al mosaico del tabaco.

Figura 4–10 *Puedes ver aquí los efectos del virus mosaico del tabaco en las hojas de esta planta de tabaco. ¿Cómo podría la ingeniería genética contribuir a proteger las plantas para que no sean infectadas por este virus (círculo)?*

Figure 4–11 *Are these straw-berries ruined? Genetically engineered ice-minus bacteria might have saved them.*

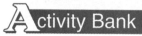

Sub-Zero, p.113

ACTIVITY

THINKING

Transgenic Crops

In the 1980s, scientists began growing genetically engineered, or transgenic, food plants in the laboratory or in small garden plots. Within a few years, trans-genic tomatoes, corn, rice, and lettuce may be available in supermarkets. Some con-sumers are concerned that these transgenic foods may be dangerous to human health. Organize a class dis-cussion of the pros and cons of genetically engineered food plants.

Another interesting use of genetic engineering in agriculture is the development of "ice-minus" bacte-ria. These genetically engineered bacteria help slow the formation of frost on plants. To understand how ice-minus bacteria work, you must first know some-thing about the bacteria that normally live on plants. These normal bacteria are referred to as ice-plus bacteria. An ice-forming gene in ice-plus bacteria controls the production of a protein that triggers freezing. When the temperature drops to the freez-ing point of water (0°C), the water in plant cells freezes and turns to ice. The formation of ice in plant cells causes the cells to rupture and die. Many commercially important crop plants are ruined every year by frost damage.

When the ice-forming gene is removed from ice-plus bacteria, the protein that triggers freezing is not produced. Without the protein, ice still forms in plant cells, but at a lower temperature (−5°C). The bacteria are now called ice-minus bacteria. Scientists hope that some day soon crop plants such as straw-berries and oranges will be protected from frost damage by using genetically engineered ice-minus bacteria.

Many environmentalists oppose the use of ice-minus bacteria. They are concerned that if the genetically engineered bacteria are released into the environment, they might turn out to be harmful. Further tests will be necessary before ice-minus bacteria can be used by farmers.

4–2 Section Review

1. What is genetic engineering?
2. What is recombinant DNA? Describe the pro-cess of making recombinant DNA.
3. Why are bacteria and yeast cells used to make large amounts of human proteins?
4. Describe two ways in which genetic engineering has been useful in medicine. In agriculture.

Connection—*You and Your World*
5. How are ice-minus bacteria similar to the anti-freeze used in an automobile radiator?

Figura 4–11 *¿Están dañadas estas fresas? Las bacterias genéticamente modificadas llamadas "de bajo hielo" podrían haberlas salvado.*

Pozo de actividades

Bajo cero, p. 113

Bajo cero, p. 113

ACTIVIDAD

PARA PENSAR

Cultivos transgénicos

En los años ochenta, los científicos empezaron a cultivar plantas genéticamente modificadas, o transgénicas, en el laboratorio o en pequeños huertos. Dentro de unos pocos años, es posible que haya tomates, maíz, arroz y lechugas transgénicos en los supermercados. Algunos consumidores están preocupados por la posibilidad de que puedan ser peligrosos para la salud humana. Organiza un debate en tu clase sobre los pros y los contras de las plantas genéticamente modificadas.

Otro uso interesante de la ingeniería genética en la agricultura es el desarrollo de bacterias "de bajo hielo." Estas bacterias ayudan a reducir la formación de hielo en las plantas. Las bacterias que viven normalmente en las plantas contienen un gene de formación de hielo que controla la producción de una proteína que desencadena la congelación. Cuando la temperatura baja al punto de congelación del agua (0°C), el agua de las células de las plantas se congela y se convierte en hielo. La formación de hielo en las plantas hace que las células se rompan y mueran. Todos los años se pierden muchos cultivos comercialmente importantes debido a las heladas.

Cuando se extrae el gene de la formación de hielo de las bacterias, deja de producirse la proteína que desencadena la congelación. Sin esa proteína, sigue formándose hielo en las células de las plantas, pero a una temperatura más baja (–5°C). Las bacterias se llaman ahora bacterias "de bajo hielo." Los científicos esperan que muy pronto sea posible proteger cultivos, tales como las fresas y las naranjas, contra las heladas, utilizando para ello bacterias "de bajo hielo" genéticamente modificadas.

Muchos conservacionistas se oponen al uso de esas bacterias porque les preocupa que, al liberarse en el medio ambiente, resulten dañinas. Será preciso hacer más ensayos antes de que los agricultores puedan usar las bacterias "de bajo hielo."

4–2 Repaso de la sección

1. ¿Qué es la ingeniería genética?
2. ¿Qué es el ADN recombinante? Describe el proceso de producción de ADN recombinante.
3. ¿Por qué se usan bacterias y levaduras para crear grandes cantidades de proteínas humanas?
4. Describe dos formas en que la ingeniería genética puede ser útil en la medicina y en la agricultura.

Conexión—*Tú y tu mundo*
5. ¿En qué sentido son las bacterias "de bajo hielo" similares al anticongelante que se usa en el radiador de un automóvil?

CONNECTIONS

Frankenstein Fishes

''We're going to have Frankenstein fish!'' exclaims one geneticist. ''We're going to feed the world,'' says another. What are they talking about? Both scientists are discussing new, genetically engineered fishes that are larger and grow faster than normal fishes.

In 1985, scientists in China announced the transfer of a gene for human growth hormone into goldfish eggs. As the goldfish developed, some of them grew two to four times their normal size! Three years later, scientists in the United States transferred a growth gene from rainbow trout into another type of fish called carp. These carp grew 20 to 40 percent larger than usual. ''Not only did they grow bigger and faster,'' reported the leader of the team of scientists, ''but their offspring grew faster too.''

Since these experiments were performed, fishes have been genetically altered in a variety of ways. In addition to growing bigger fishes, scientists are also experimenting with alterations that would make fishes resistant to diseases and pollutants in the *environment,* and also able to withstand very cold temperatures. Because fishes are an important source of food, these experiments could be important to commercial aquaculture, or fish farming.

Although it will be several years before genetically engineered fishes are available commercially, environmentalists are concerned that these fishes could cause problems in aquatic ecosystems. As of now, genetically engineered fishes are kept in aquaculture ponds or laboratory tanks. But what might happen if these fishes were released into the wild? No one knows. However, scientists, environmentalists, and government agencies agree on the need for safety guidelines and regulations to control the research and release of genetically engineered fishes.

CONEXIONES

Los peces Frankenstein

"Tendremos peces Frankenstein," exclamó un genetista. "Vamos a alimentar al mundo," dijo otro. ¿De qué están hablando? Se están refiriendo a ciertos peces genéticamente modificados que son más grandes y crecen más rápido que los peces normales.

En 1985, científicos en China anunciaron la transferencia de un gene para la hormona del crecimiento humano a huevos de carpas doradas. Al desarrollarse, algunas de esas carpas alcanzaban un tamaño equivalente al doble o el cuádruple del tamaño normal. Tres años después, los científicos de los Estados Unidos transfirieron un gene del crecimiento de la trucha arco iris a otro tipo de pez llamado carpa. Estas carpas crecieron entre un 20 y un 40 por ciento más que lo normal. "No sólo crecían más y más rápidamente," comunicó el jefe del grupo de científicos, "sino que también su descendencia crecía más rápidamente."

Desde que se llevaron a cabo estos experimentos, se han hecho muchas alteraciones genéticas de peces. Además de producir peces más grandes, los científicos están también experimentando con otras alteraciones que harán que los peces sean resistentes a enfermedades y contaminantes del *medio ambiente* y capaces de resistir temperaturas muy frías. Dado que el pescado es una fuente muy importante de alimento, estos experimentos podrían ser importantes para la piscicultura comercial.

Aunque faltan muchos años para que peces genéticamente alterados estén a la venta, los conservacionistas están preocupados por los problemas que podrían causar estos peces en los ecosistemas acuáticos. En la actualidad, los peces genéticamente modificados se mantienen en estanques especiales o en tanques de laboratorio. ¿Pero qué pasaría si se liberaran en el medio ambiente? Nadie lo sabe. Sin embargo, los científicos, los conservacionistas y las organizaciones gubernamentales están de acuerdo sobre la necesidad de directivas y reglamentaciones de seguridad para controlar la investigación y la liberación de especies de peces genéticamente modificados.

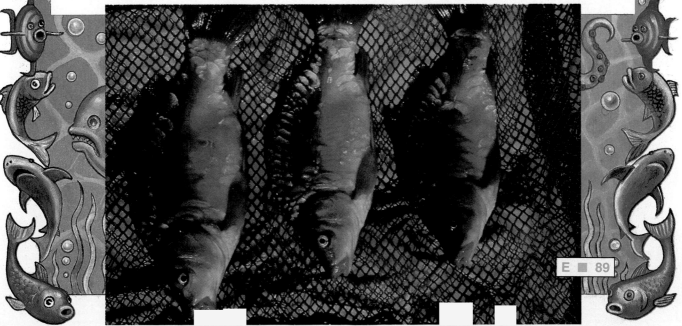

Laboratory Investigation

Recombinant DNA

Problem

How can you make models to represent recombinant DNA?

Materials *(per group)*

construction paper (different colors)
tracing paper
drawing compass
tape
scissors

Procedure

1. Use a drawing compass to draw a circle 6 cm in diameter on a piece of construction paper.

2. Inside the large circle, draw a smaller circle 2.5 cm in diameter. You should now have a strip about 1.8 cm wide between the inner circle and the outer circle.

3. Using scissors, carefully cut around the outer circle and cut away the inner circle. **CAUTION:** *Be careful when using scissors or any sharp instrument.* You should now have a closed ring of construction paper.

4. Repeat steps 1 through 3 to make two more construction paper rings.

5. Trace each of the DNA segments shown here on a piece of tracing paper. Label each segment as shown.

6. Carefully cut out each DNA segment from the tracing paper. Using each DNA segment as a pattern, cut three DNA segments from construction paper. Use a different-colored piece of construction paper for each DNA segment.

7. Use the scissors and tape to make three models of recombinant DNA from the three closed rings and DNA segments. Refer to the sequence of steps described in Section 4–2 and Figure 4–6 on page 85 as a guide.

Observations

1. What do the rings of construction paper represent in your models?

2. What do the DNA segments represent?

Analysis and Conclusions

1. What human protein would each of your recombinant DNA molecules produce in a living organism?

2. **On Your Own** The technique of making recombinant DNA is sometimes called gene splicing. Do you think this is a good name? Why or why not? (*Hint:* Look up the word splice in a dictionary.)

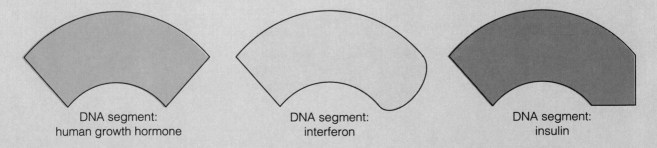

DNA segment:
human growth hormone

DNA segment:
interferon

DNA segment:
insulin

Investigación de laboratorio

ADN recombinante

Problema
¿Cómo puedes hacer modelos para representar el ADN recombinante?

Materiales *(para cada grupo)*

> cartulina (de distintos colores)
> papel de calcar
> compás
> cinta adhesiva
> tijeras

Procedimiento

1. Con un compás, dibuja un círculo de 6 cm de diámetro en un trozo de cartulina.

2. Dentro del círculo, dibuja otro de 2.5 cm de diámetro. Te quedará una franja de unos 1.8 cm de ancho entre el círculo interior y el exterior.

3. Con las tijeras, recorta cuidadosamente el círculo exterior y el círculo interior. **CUIDADO:** *Ten cuidado al usar tijeras o cualquier otro instrumento cortante.* Tendrás ahora un anillo de cartulina.

4. Repite los pasos del 1 al 3 para hacer otros dos anillos de cartulina.

5. Dibuja cada uno de los segmentos de ADN indicados aquí en un trozo de papel de calcar. Rotula cada segmento como se indica aquí.

6. Recorta cuidadosamente cada segmento de ADN del papel de calcar. Utilizando esos segmentos como molde, recorta tres segmentos de ADN de la cartulina. Utiliza una cartulina de color diferente para cada segmento de ADN.

7. Utilizando las tijeras y la cinta adhesiva, haz tres modelos de ADN recombinante con los tres círculos y los segmentos de ADN. Consulta la secuencia de pasos descrita en la sección 4–2 y en la figura 4–6 de la página 85 como guía.

Observaciones

1. ¿Qué representan los círculos de cartulina en tus modelos?

2. ¿Qué representan los segmentos de ADN?

Análisis y conclusiones

1. ¿Qué proteína humana produciría cada una de las moléculas de ADN recombinante en un organismo vivo?

2. **Por tu cuenta** La técnica de producción de ADN recombinante se llama empalme de genes. ¿Te parece un buen nombre? ¿Por qué sí, o por qué no? (*Pista:* Busca la palabra empalmar en un diccionario.)

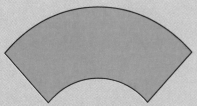
Segmento de ADN: hormona del crecimiento humano

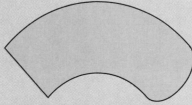
Segmento de ADN: interferona

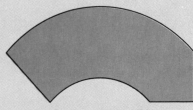
Segmento de ADN: insulina

Summarizing Key Concepts

4–1 Plant and Animal Breeding

▲ Plant and animal breeders use selective breeding to produce offspring with desirable characteristics.

▲ Hybridization is a form of selective breeding in which two genetically different species are crossed.

▲ Hybrids are bred to have the best traits of both parents.

▲ Hybrids that are stronger or healthier than either parent are said to have hybrid vigor.

▲ Inbreeding is a form of selective breeding that involves crossing organisms with similar genes.

▲ Inbreeding produces organisms that are genetically similar.

▲ As a result of inbreeding, an offspring's chances of inheriting new genetic combinations is greatly reduced. This can make an entire inbred species susceptible to disease and could lead to extinction.

4–2 Genetic Engineering

▲ Through genetic engineering, genes, or pieces of DNA, are transferred from one organism to another organism.

▲ One form of genetic engineering involves the use of recombinant DNA, which contains pieces of DNA from two different organisms.

▲ Bacteria and yeast cells are commonly used in genetic engineering to produce human proteins.

▲ To make recombinant DNA, scientists remove a plasmid, or ring of DNA, from a bacterium and insert a piece of human DNA.

▲ As a result of genetic engineering, human proteins can be made outside the human body.

▲ Products of genetic engineering are used in medicine to produce hormones and vaccines and in agriculture to make plants resistant to disease and freezing.

Reviewing Key Terms

Define each term in a complete sentence.

4–1 Plant and Animal Breeding
selective breeding
hybridization
inbreeding

4–2 Genetic Engineering
genetic engineering
recombinant DNA
plasmid

Resumen de conceptos claves

4–1 Cría de animales y plantas

▲ Los criadores de animales y plantas usan la cría selectiva para producir descendencia con características deseables.

▲ La hibridación es una forma de cría selectiva en la que se cruzan dos especies genéticamente diferentes.

▲ Los híbridos se crían para que tengan lo mejor de ambos progenitores.

▲ Se dice que los híbridos que son más fuertes o más sanos que sus dos progenitores tienen vigor híbrido.

▲ La endogamia es una forma de cría selectiva en la que se cruzan organismos con genes similares.

▲ La endogamia produce organismos genéticamente similares.

▲ Como resultado de la endogamia, se reduce mucho la posibilidad de que la descendencia herede nuevas combinaciones genéticas. Esto puede hacer que toda una especie sea susceptible a enfermedades y puede llevar a su extinción.

4–2 Ingeniería genética

▲ Mediante la ingeniería genética se transfieren genes o trozos de ADN de un organismo a otro.

▲ Una forma de ingeniería genética entraña el uso de ADN recombinante, que contiene trozos de ADN de dos organismos diferentes.

▲ En la ingeniería genética se usan corrientemente bacterias y levaduras para producir proteínas humanas.

▲ Para fabricar ADN recombinante, los científicos extraen un plásmido, o un anillo, de una bacteria e insertan un trozo de ADN humano.

▲ Gracias a la ingeniería genética, es posible producir proteínas humanas fuera del cuerpo humano.

▲ Los productos de la ingeniería genética se usan en la medicina para producir hormonas y vacunas, y en la agricultura para producir plantas resistentes a las enfermedades y a la congelación.

Repaso de palabras claves

Define cada palabra o palabras con una oración completa.

4–1 Cría de animales y plantas
cría selectiva
hibridación
endogamia

4–2 Ingeniería genética
ingeniería genética
ADN recombinante
plásmido

Chapter Review

Content Review

Multiple Choice

Choose the letter of the answer that best completes each statement.

1. Crossing two genetically different plants or animals is called
   a. inbreeding.
   b. hybridization.
   c. genetic engineering.
   d. crossbreeding.
2. The word vigor in the term hybrid vigor means
   a. offspring.   c. strength.
   b. weakness.   d. trait.
3. Purebred plants and animals are produced through
   a. inbreeding.
   b. hybridization.
   c. genetic engineering.
   d. recombinant DNA.
4. Inserting genes from one organism into another is an example of
   a. hybridization.
   b. inbreeding.
   c. crossbreeding.
   d. genetic engineering.

5. To make recombinant DNA, human DNA is usually transferred into yeast cells or
   a. mouse cells.   c. viruses.
   b. bacteria.   d. plant cells.
6. Inbreeding produces organisms that are genetically
   a. different.   c. identical.
   b. similar.   d. opposite.
7. Genetic engineering can be used to produce
   a. insulin.
   b. human growth hormone.
   c. interferon.
   d. all of these.
8. The human protein needed to treat diabetes mellitus is
   a. human growth hormone.
   b. interferon.
   c. insulin.
   d. hemoglobin.

True or False

If the statement is true, write "true." If it is false, change the underlined word or words to make the statement true.

1. Hybridization is the process of crossing two genetically <u>similar</u> organisms.
2. A hybrid offspring combines the <u>worst</u> traits of both parents.
3. A method of selective breeding that is the opposite of hybridization is called <u>inbreeding</u>.
4. Inbreeding <u>increases</u> an offspring's chances of <u>inheriting different gene</u> combinations.
5. As a result of <u>hybridization</u>, some organisms might be in danger of becoming extinct.

Concept Mapping

Complete the following concept map for Section 4–1. Refer to pages E6–E7 to construct a concept map for the entire chapter.

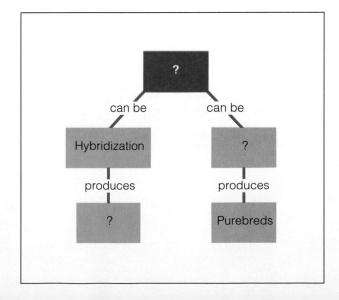

Repaso del capítulo

Selección múltiple

Selecciona la letra de la respuesta que mejor complete cada frase.

1. El cruzamiento de dos plantas o animales genéticamente diferentes se llama
   a. endogamia.
   b. hibridación.
   c. ingeniería genética.
   d. cruzamiento.
2. La palabra vigor en el término vigor híbrido significa
   a. descendencia.   c. fuerza.
   b. debilidad.   d. carácter.
3. Las plantas y los animales de pura sangre se producen mediante
   a. endogamia.
   b. hibridación.
   c. ingeniería genética.
   d. ADN recombinante.
4. La inserción de genes de un organismo en otro es un ejemplo de
   a. hibridación.
   b. endogamia.
   c. cruzamiento.
   d. ingeniería genética.

5. Para producir ADN recombinante, se transfiere generalmente ADN humano a levaduras o
   a. células de ratones.   c. virus.
   b. bacterias.   d. células de plantas.
6. La endogamia produce organismos que son genéticamente
   a. diferentes.
   b. similares.
   c. idénticos.
   d. opuestos.
7. Puede usarse la ingeniería genética para producir
   a. insulina.
   b. hormona del crecimiento humano.
   c. interferona.
   d. todas estas sustancias.
8. La proteína humana necesaria para tratar la diabetes mellitus es
   a. hormona del crecimiento humano.
   b. interferona.
   c. insulina.
   d. hemoglobina.

Verdadero o falso

Si la afirmación es verdadera, escribe "verdad." Si es falsa, cambia las palabras subrayadas para que sea verdadera.

1. La hibridación es el proceso de cruzamiento de dos organismos genéticamente <u>similares</u>.
2. Una descendencia híbrida combina los <u>peores</u> rasgos de ambos progenitores.
3. Un método de cría selectiva opuesto a la hibridación se llama <u>endogamia</u>.
4. La endogamia <u>aumenta</u> las posibilidades de que la descendencia herede combinaciones de genes diferentes.
5. Como resultado de la <u>hibridación</u>, algunos organismos pueden correr el peligro de extinguirse.

Mapa de conceptos

Completa el siguiente mapa de conceptos para la sección 4–1. Para hacer un mapa de conceptos de todo el capítulo, consulta las páginas E6–E7.

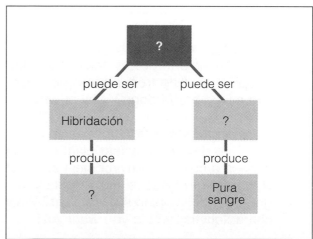

Concept Mastery

Discuss each of the following in a brief paragraph.

1. How do breeders produce organisms with desired characteristics?
2. What is genetic engineering? How has genetic engineering affected modern life?
3. Describe the steps involved in the production of recombinant DNA.
4. Explain how bacteria and yeast cells can be used as "factories" to make human proteins.
5. What is the advantage of developing ice-minus bacteria? Are there any disadvantages? Explain.
6. What is one disadvantage of inbreeding? Give an example.
7. Describe three applications of genetic engineering in medicine.
8. Describe how selective plant breeding was first used in agriculture.

Critical Thinking and Problem Solving

Use the skills you have developed in this chapter to answer each of the following.

1. **Sequencing events** The diagram below shows the steps involved in the process of making recombinant DNA. However, the steps are out of order. Place the steps in the proper sequence.

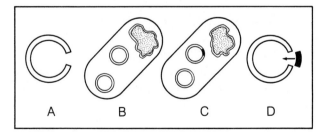

A   B   C   D

2. **Relating concepts** Do you think you would be able to predict the traits of the puppies resulting from a cross between two mixed-breed dogs? Why or why not?
3. **Applying concepts** Suppose you were asked to develop a wheat plant that can grow in a cold, dry environment and that is resistant to disease. How would you go about developing such a plant? What characteristics would you want your wheat plant to have? Why would these characteristics be important?
4. **Making inferences** Scientists working with ice-minus bacteria discovered that the ice-forming proteins produced by ice-plus bacteria could be used to help make snow at ski resorts. Ski resorts now use these proteins to make snow faster and in warmer weather. Do you think that releasing ice-forming proteins into the environment caused the same concerns as releasing ice-minus bacteria? Why or why not?
5. **Using the writing process** Many people are concerned about the introduction of new, genetically engineered organisms into the environment. These people think that genetically engineered organisms may be harmful to the environment or to other living things. What safety guidelines would you recommend concerning the possible development of genetically engineered plants and animals? Write an essay describing your guidelines and giving your reasons for including each guideline.

Dominio de conceptos

Comenta cada uno de los puntos siguientes en un párrafo breve.

1. ¿Cómo producen los criadores organismos con características deseables?
2. ¿Qué es la ingeniería genética? ¿Cómo ha afectado la ingeniería genética a la vida moderna?
3. Describe los pasos en el proceso de producción de ADN recombinante.
4. Explica cómo pueden utilizarse bacterias y levaduras como "fábricas" de proteínas humanas.
5. ¿Cuál es la ventaja de desarrollar bacterias "de bajo hielo"? ¿Hay alguna desventaja? Explica esto.
6. ¿Cuál es una desventaja de la endogamia? Da un ejemplo.
7. Describe tres aplicaciones de la ingeniería genética en la medicina.
8. Describe cómo se utilizó por primera vez el cruzamiento selectivo de plantas en la agricultura.

Pensamiento crítico y solución de problemas

Usa las destrezas que has desarrollado en este capítulo para resolver lo siguiente.

1. **Ordenar acontecimientos** En este diagrama se muestran los pasos que entraña el proceso de producción de ADN recombinante. Sin embargo, estos pasos no están en orden. Colócalos en el orden correcto.

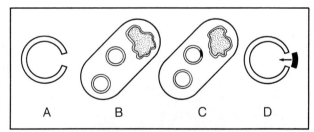

2. **Relacionar conceptos** ¿Crees que podrías predecir los rasgos de los cachorros que resultarán de un cruzamiento entre dos perros de raza mixta? ¿Por qué sí o por qué no?

3. **Aplicar conceptos** Imagina que se te pidiera que desarrollaras una planta de trigo que pudiera crecer en un medio frío y seco y fuera resistente a las enfermedades. ¿Qué harías para desarrollar esa planta? ¿Qué características querrías que tuviera tu planta? ¿Por qué serían importantes esas características?

4. **Hacer deducciones** Los científicos que trabajan con bacterias "de bajo hielo" descubrieron que las proteínas que forman hielo producidas por las bacterias podían usarse para ayudar a fabricar nieve en los centros de esquí. En esos centros se usan actualmente estas proteínas para fabricar nieve más rápido y en tiempo más cálido. ¿Crees que la liberación de proteínas que forman hielo en el medio ambiente causó las mismas preocupaciones que la liberación de bacterias "de bajo hielo"? ¿Por qué sí o por qué no?

5. **Usar el proceso de la escritura** Mucha gente está preocupada por la introducción de organismos nuevos, genéticamente alterados, en el medio ambiente. Piensan que estos organismos podrían ser nocivos para el medio ambiente y para otros seres vivientes. ¿Qué guías de seguridad recomendarías para el posible desarrollo de plantas y animales genéticamente alterados? Escribe un ensayo describiendo tus guías y explicando tus razones para incluir cada una de ellas.

Barbara McClintock:
She Discovered
"JUMPING" GENES

The news headline for October 10, 1983, read "Biologist Wins Nobel in Medicine." Eighty-one-year-old Barbara McClintock had just won the world's greatest scientific award. She received the award for her discovery that genes can move from one spot to another on a chromosome—or even from one chromosome to another. Many people felt that the award was long overdue. For Barbara McClintock had made the discovery thirty years earlier.

It had taken the scientific world that long to realize the importance of McClintock's research. In 1951, when Dr. McClintock first reported her discovery, she was met with silence. Her fellow scientists either did not understand or would not believe that genes do not always remain in a fixed spot on a chromosome.

When McClintock began her research, scientists did not have the knowledge or equipment to unravel the chemical makeup of genes. To determine how genes work in plants, McClintock decided to examine changes in the outward appearance of plants. McClintock used the maize plant to study the color variations in kernels. (Maize is another name for corn.)

Dr. McClintock's early research during the 1920s and 1930s proved that genes determine a maize plant's characteristics, such as color. In further studies during 1944–45, she observed a pattern of color on some corn kernels that was unlike anything she had seen before. Dr. McClintock wondered how this could be explained.

To find the explanation, McClintock studied the color patterns of kernels in many generations of corn. Using a microscope, she studied certain genes on the chromosome of each plant. These genes controlled changes in the color of kernels. She tried to match the color of the kernels with the position of these genes on their chromosomes.

▼ A very happy Dr. McClintock holds a sample of the corn that helped her win a Nobel prize.

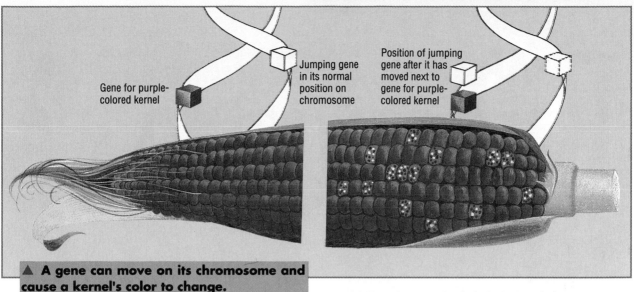

Gene for purple-colored kernel

Jumping gene in its normal position on chromosome

Position of jumping gene after it has moved next to gene for purple-colored kernel

▲ **A gene can move on its chromosome and cause a kernel's color to change.**

Some genes, she found, moved! And when these genes moved, they caused the color patterns of the corn kernels to change. How did the jumping genes do this?

When a jumping gene moved, it landed next to genes that controlled kernel color. The jumping gene then affected the action of these coloring genes. For example, let's say the nearby genes caused a kernel to be purple. The jumping gene interfered with the action of the "purple kernel" genes. This resulted in changes in the color of the corn kernel. Instead of being completely purple, the kernel was now speckled purple, pink, and white.

This discovery of jumping genes did not fit in with older scientific ideas about genes. Scientists believed that genes stayed in one place on the strands of chromosomes. It was as if the genes were beads on a necklace. But McClintock discovered that some genes, at least, could move on the chromosomes. When the genes did this, mutations, or changes, were caused in the organisms.

Despite the fact that her findings at the time were ignored, McClintock continued her work. Her confidence was unshakable. As she said, "If you know you are on the right track, if you have this inner knowledge, then nobody can turn you off . . . regardless of what they say."

Finally, during the late 1960s, researchers began to find jumping genes in other or-

ganisms, such as bacteria. Passed on to new generations of bacteria, some jumping genes could give disease-causing bacteria the ability to resist antibiotic medicines.

Jumping genes in the one-celled parasite that causes African sleeping sickness help the parasite to overcome a person's natural resistance to the disease. More recent studies seem to show that movable genes may also create changes in normal cells that turn them into cancer cells.

Such findings prompted scientists to recognize at last the importance of McClintock's earlier discovery. As Dr. James Watson, one of the discoverers of the structure of DNA, said, "It's really that science has caught up with Barbara."

By the 1970s, Barbara McClintock had become something of a scientific hero. Yet she continued her quiet life at the research center at Cold Spring Harbor on Long Island, New York. For more than 50 years, she worked 12 hours a day, 6 days a week in her laboratory. On September 2, 1992, at the age of 90, Barbara McClintock died.

Dr. Watson, director of the Cold Spring Harbor Laboratory, called McClintock one of the three most important figures in the history of genetics, one of "the three M's." The others are Gregor Mendel and Thomas Hunt Morgan. Although she was only a little more than five feet tall, Dr. McClintock will be remembered as a giant in genetics.

ARE WE *SPEEDING* UP EXTINCTION?

About 70 million years ago, the last dinosaur to roam the Earth took its final breath and died. What kind of dinosaur was this lone survivor? Perhaps it was the mighty *Tyrannosaurus*, a fierce flesh eater. Or maybe it was the three-horned *Triceratops*, a powerful plant eater. Possibly it was one of the many smaller types of dinosaurs that skittered over the landscape on long hind legs. No one knows what kind of dinosaur was the last to look upon the Earth. Its identity will forever remain a mystery. But one fact is clear: With the death of the last one, dinosaurs became extinct and would not be seen again.

You may hear the word extinction often these days. Many types of plants and animals have vanished in recent times. With the loss of the rain forests, many more are on the brink of disappearing. Since the year 1600, about 1000 kinds of mammals, birds, and other vertebrates (animals with backbones) have become extinct. Extinction has always been a fact of life. But has this process been speeded up by the interference of people? Are living things dying off at an unnaturally fast rate?

A report from the Florida Conservation Foundation states that "extinction is the ultimate fate of all species." However, the report goes on to say that "the modern rate of extinction is not natural." If this is true, what has caused the rapid disappearance of so many organisms? And why are thousands more on the endangered species list?

One possible answer has been suggested by S. Dillon Ripley, former secretary of the Smithsonian Institution. Ripley, like many conservationists, feels that certain organisms are in danger because of "man and his intrusion into their fragile environments."

Some scientists disagree with this position on the role of people in the extinction process. Among them is Dr. John J. McKetta, a chemical engineering professor at the University of Texas, who wrote that "it is possible that . . . man may hasten the disappearance of certain species. However, the evidence indicates that he has very little to do with it."

Few conservationists would agree with McKetta's view. But many admit that some species are so primitive that they are easy targets for extinction. This may be the opinion of James Fischer, Noel Simon, and Jack Vincent, three noted conservationists. They have written that "in any period, including the present, there are doomed species: naturally doomed species bound to disappear."

> Conservationists disagree on whether many species of plants and animals are becoming extinct, or dying out, as part of the natural order of things. Some feel that people are making the environment unfit for certain plants and animals.

The African black rhinoceros has been brought to near extinction by hunters. Will its fate be that of the dinosaur, who mysteriously disappeared millions of years ago?

▲ Animals that can adapt to various conditions are more likely to survive in a changing environment. Raccoons, for example, are country animals that easily adapt to city life.

It cannot be argued that the types of organisms that survive are those that adapt best to the changing conditions of the environment. The surroundings in which an organism lives change all the time. Some changes are big; others small. Some changes happen quickly; others slowly. Many of these changes are natural. Mountains rise up, and old mountains crumble. Ponds dry up. Floods cover forest areas. New species appear and compete with the old for food and space.

But conservationists are concerned that when people tamper with an environment, many plants and animals cannot adjust. Although they may be able to adapt to natural changes, some organisms cannot keep pace with changes caused by humans.

The African black rhinoceros is an example of an animal threatened with extinction by humans. Huge and powerful, the rhino has few natural enemies. It is adapted to living on vast plains, eating the tough plants that grow there. But the rhino is a slow-witted creature and is easy prey for human hunters. Despite the laws that are supposed to protect rhinos, hunters kill the animals for their horns. Rhino horns bring high prices in parts of the world where they are used in folk medicine. As a result, the rhinoceros is on the brink of extinction.

Similarly, the grizzly bear is a fierce animal with few enemies in the wild. For hundreds of years, grizzlies roamed the vast North American wilderness. But as farms, ranches, and towns began to replace wilderness, grizzlies began to decrease in numbers. Those that remained live much closer to people. And grizzlies and people do not mix well. Grizzlies seldom attack people or livestock. But when they do, they are usually hunted down and destroyed. Grizzly bears could be headed for extinction.

Both rhinos and grizzlies are what scientists call highly specialized creatures. This means that they have adapted to very special conditions. When people disturb these conditions—by shrinking the wilderness, for example—these animals find it difficult to exist.

Some animals, on the other hand, are not specialized. The are suited to living under many different kinds of conditions. The raccoon is one of these animals. Raccoons are adapted to the wild. But they also manage to survive well in cities. Instead of eating natural food, they feed on garbage. If they cannot find dens in hollow trees and logs, they make their homes in attics, abandoned buildings, and garages. Raccoons in Cincinnati, Ohio, even learned to use an underpass to cross a busy highway. While some animals have dwindled in number, raccoons are as abundant as ever.

Some scientists think that eventually only very adaptable species such as the raccoon will be able to survive in a world changed by people. Will new species develop that are more adaptable to the modern world? Have the rhino and the grizzly outlived their time? Conservationists suggest that if the changes caused by people drive wild creatures out of existence, the environment itself is not a healthy place. In the long run, a sick environment endangers the human species. Only time will tell whether or not people are endangered by an environment of their own making.

MAPPING THE HUMAN GENOME

The disembodied nose of an imaginary world leader plays an important role in a 1970s comic film. The movie's villains want to use the organ to recreate their dead leader, and the hero must steal—and eventually squash—the nose in order to stop them. The movie is more concerned with spoof than science, but there is some biological fact behind the humorous fiction. Indeed, every cell in a person's body—whether it is a nose cell, a liver cell, or a tongue cell—contains a complete set of instructions for making that person. And although scientists may not be interested in reviving dead dictators, many are deeply committed to understanding that set of genetic instructions.

For several years, scientists around the world have been working to decode the messages hidden in the human genome—the complete set of 46 chromosomes that determine who we are and how we develop. The project involves two basic, demanding tasks: mapping and sequencing. Scientists want a complete map of the genome, a map that will show the location of the approximately 100,000 genes on the chromosome strands. But they want to know the order of the DNA bases that make up those genes as well. Genome sequencing is the process by which scientists list, in careful order, the 3 billion to 6 billion base pairs that compose chromosomal DNA. Such a list would fill a book 1 million pages long!

Mapping and sequencing—not to mention organizing and cataloging all the data—will obviously take a long time and require a lot of money. Genome researchers will need

FUTURES IN SCIENCE

support and funding from the scientific community as well as from the government. Many scientists, including DNA co-discoverer James Watson, are in favor of the genome project and defend the time and money ($200 million a year over a 15-year period) required for it. To these scientists, a complete genome map is the "Holy Grail" of biology. They say that the potential benefits of deciphering the genome are worth the cost of all the research. They expect that a better understanding of the genetic code will allow them to detect genetic flaws and develop more effective strategies for treating them. One example of such an advance is the recent discovery of the gene that goes wrong when a colon cell becomes cancerous. With this new finding, scientists hope to be able to detect colon cancer at its earliest stage—or even to identify people who have a predisposition for the disease. Researchers also anticipate using genetic engineering techniques and gene therapy to combat other killers, such as heart disease and AIDS. Scientists add that a complete knowledge of the genome may be the key to unlocking such biological mysteries as human behavior and evolution.

Opponents of the human genome project, however, insist that the drawbacks of genetic engineering outweigh its advantages. High on their list of concerns are ethical issues associated with probing the human genome. Some researchers and others fear that gene mapping and sequencing will lead to technologies that assert human control over natural processes. They worry that what begins as gene therapy to treat diseases will become gene enhancement to create "improved" individuals—people who are smarter, taller, fairer. These opponents argue that genome exploration is "bad science"—monotonous work with little value, which will drain funds and energy that might be better spent elsewhere. And they want at least to slow down the pace of gene mapping and sequencing.

▼ **Unlocking the mystery of the human genome might ensure that all babies grow up to fulfill their genetic potential.**

▶ **Human body cells contain 23 pairs of chromosomes. Within each chromosome is a single molecule of DNA. The DNA molecule is a twisted ladderlike structure whose rungs are made of the nitrogen bases adenine (A), guanine (G), cytosine (C), and thymine (T).**

While the human genome project continues to stir ethical, economic, and political debate, however, scientists probe the genome and invent new techniques to aid their research. The discovery of methods for separating and arranging pieces of DNA and the development of an automatic "sequenator" make mapping and sequencing easier and more accurate. One of the biggest challenges of the project is managing the new information. Computer specialists are designing data banks to gather and organize information as it comes in. Who knows what movie makers will do with these issues, ideas, and inventions in the future?

▼ **Some of the genes lined up on chromosomes may cause human diseases and disorders. By mapping the sequence of genes on different chromosomes, scientists hope some day to be able to treat—or even cure—some of these diseases.**

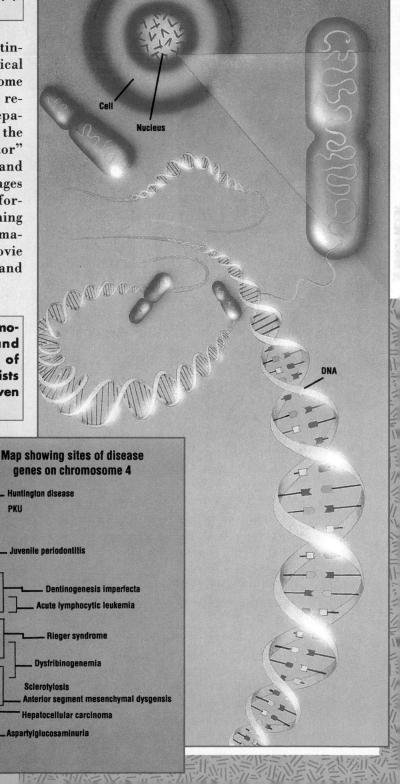

Cell

Nucleus

DNA

Map showing sites of disease genes on chromosome 3

- von Hippel-Lindau syndrome
- Thyroid hormone resistance
- Small cell cancer of lung
- GM1-gangliosidosis
- Renal-cell carcinoma
- Protein S deficiency
- Oroticaciduria
- Propionicacidemia
- Atransferrinemia
- Postanesthetic apnea
- Sucrose intolerance

Map showing sites of disease genes on chromosome 4

- Huntington disease
- PKU
- Juvenile periodontitis
- Dentinogenesis imperfecta
- Acute lymphocytic leukemia
- Rieger syndrome
- Dysfribinogenemia
- Sclerotylosis
- Anterior segment mesenchymal dysgensis
- Hepatocellular carcinoma
- Aspartylglucosaminuria

G·A·C·E·T·A

Barbara McClintock descubre los
GENES "SALTARINES"

El 10 de octubre de 1983, los periódicos informaron que una bióloga había recibido el Premio Nóbel de medicina. A los 81 años, Barbara McClintock ganó el premio científico más importante del mundo. Ella recibió ese premio por haber descubierto que los genes se pueden mover dentro de un cromosoma e incluso de un cromosoma a otro. Mucha gente opinó que Barbara McClintock debía haber recibido el premio hacía mucho tiempo, dado que había hecho su descubrimiento 30 años antes.

La comunidad científica había tardado tanto para darse cuenta de la importancia de las investigaciones de la Dra. McClintock. En 1951, cuando ella anunció su descubrimiento, nadie le prestó atención. Sus colegas no podían entender o creer que los genes no siempre permanecían en un lugar fijo en los cromosomas.

Cuando McClintock comenzó sus investigaciones, los científicos no poseían ni los conocimientos ni el equipo para desentrañar la composición química de los genes. Para determinar cómo funcionan los genes en las plantas, McClintock decidió examinar las variaciones de su aspecto físico. McClintock utilizó plantas de maíz para estudiar las variaciones del color de los granos.

En sus primeras investigaciones, hechas en los años veinte y treinta, la Dra. McClintock comprobó que los genes determinaban las características de la planta de maíz, como el color. En otros estudios hechos en 1944-45, observó una combinación de colores en algunos granos de maíz que no se parecía nada que hubiera visto antes. Ella decidió averiguar a qué se debía esto.

Para encontrar una explicación, McClintock estudió las combinaciones de colores de los granos en muchas generaciones de plantas. Con un microscopio estudió ciertos genes en los cromosomas de cada planta. Estos controlaban las variaciones de color de los granos. McClintock trató de establecer una relación entre el color de los granos de maíz y la posición de estos genes en sus cromosomas.

▼ **Muy contenta la Dra. McClintock sonríe con una muestra del maíz que le ayudó a ganar el premio Nóbel.**

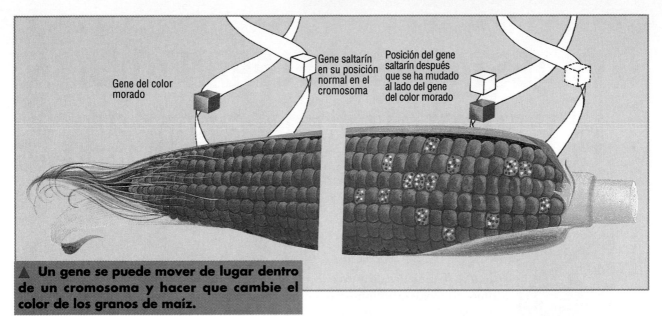

Gene del color morado

Gene saltarín en su posición normal en el cromosoma

Posición del gene saltarín después que se ha mudado al lado del gene del color morado

▲ **Un gene se puede mover de lugar dentro de un cromosoma y hacer que cambie el color de los granos de maíz.**

La Dra. McClintock observó que algunos genes se movían. Y cuando se movían, cambiaba la combinación de colores de los granos de maíz. ¿Cómo hacían esto los genes?

Cuando un gene saltarín cambiaba de lugar, caía al lado de los genes que controlaban el color de los granos y afectaba su funcionamiento. Supongamos, por ejemplo, que los genes del color hacían que los granos de maíz fueran de color morado. Cuando el gene saltarín interfería en el funcionamiento de esos genes, variaba el color de los granos. El maíz, en lugar de ser todo morado, presentaba ahora manchas moradas, rosadas y blancas.

La existencia de estos genes no concordaba con las teorías científicas tradicionales sobre los genes que sostenían que los genes permanecían siempre en un solo lugar en los filamentos de los cromosomas, como las cuentas de un collar. Pero McClintock descubrió que por lo menos algunos podían cambiar de lugar dentro de los cromosomas. Cuando sucedía esto, se producían mutaciones o cambios en los organismos.

McClintock continuó investigando a pesar de que nadie hizo caso de sus descubrimientos. Su confianza era inquebrantable. Dijo una vez: —Si uno está seguro de que va por el buen camino, si tiene esta convicción, nadie podrá apartarlo de ese camino ... no importa lo que digan.

Por último, a fines de los años sesenta, los investigadores empezaron a encontrar genes saltarines en bacterias. Al pasar a nuevas generaciones de bacterias, algunos genes saltarines podían hacer que las bacterias patógenas fueran resistentes a los antibióticos.

En el parásito unicelular que causa la enfermedad del sueño africana, los genes saltarines ayudan al parásito a vencer la resistencia natural de una persona a la enfermedad. Según estudios recientes, los genes móviles también pueden producir cambios en células normales que las convierten en células cancerígenas.

Estas observaciones indujeron a los científicos a reconocer finalmente la importancia del descubrimiento de McClintock. Como dijo el Dr. James Watson, uno de los científicos que descubrieron la estructura del ADN, —En realidad, la ciencia se ha puesto ahora a la par de Barbara.

Para los años setenta, Barbara McClintock ya era una heroína de la ciencia. Sin embargo, siguió viviendo modestamente en el Centro de Investigación de Cold Spring Harbor, en Long Island, New York. Durante más de 50 años trabajó en su laboratorio 12 horas por día, 6 días por semana. El 2 de septiembre de 1992, Barbara McClintock falleció a la edad de 90 años.

El Dr. Watson, director del Laboratorio de Cold Spring Harbor, declaró que McClintock era una de las tres figuras más importantes de la historia de la genética, una de las "tres M". Los otros son Gregorio Mendel y Thomas Hunt Morgan. Aunque medía poco más de 1.50 m de altura, la Dra. McClintock será considerada siempre un gigante en el campo de la genética.

¿ESTAMOS *ACELERANDO* LA EXTINCIÓN DE LAS ESPECIES?

ace unos 70 millones de años el último dinosaurio de nuestro planeta dio sus últimos estertores y expiró. ¿Qué clase de dinosaurio era este solitario sobreviviente? Tal vez era el poderoso Tiranosaurio, feroz carnívoro, o quizá el Triceratopos, corpulento herbívoro de tres cuernos. Posiblemente era uno de los muchos dinosaurios más pequeños que saltaban de aquí para allá sobre sus largas patas traseras. Nadie sabe cuál fue el último dinosaurio que vivió en este planeta. Su identidad es un misterio que nunca se podrá resolver. Pero un hecho es bien cierto: al morir el último de los dinosaurios, la especie desapareció de la faz de la Tierra para siempre.

Es posible que últimamente hayas oído hablar a menudo de la "extinción". En épocas recientes han desaparecido muchas clases de plantas y animales. A medida que se reducen los bosques tropicales, están desapareciendo muchas otras especies. Desde el año 1600, se han extinguido unas 1000 clases de mamíferos, pájaros y otros vertebrados (animales con columna vertebral). La extinción siempre ha sido una de las realidades de la vida. ¿Pero, ha acelerado el ser humano este proceso? ¿Están desapareciendo los seres vivientes a un ritmo demasiado rápido?

En un informe, la Florida Conservation Foundation señala que "la extinción es el destino

Los ecólogos no están de acuerdo sobre si muchas especies de plantas y animales se están extinguiendo o desapareciendo por obra de la naturaleza. Algunos piensan que el medio ambiente no es favorable para ciertas plantas y animales debido a la influencia del ser humano.

último de todas las especies." Sin embargo, dice también que "la tasa de extinción de la era moderna no es obra de la naturaleza." Si esto es cierto, ¿qué ha causado la rápida desaparición de tantos organismos? ¿Y por qué hay millares más en la lista de especies amenazadas?

S. Dillon Ripley, ex secretario del Smithsonian Institution, sugiere una posible explicación. Como muchos ecólogos, él piensa que ciertos organismos corren peligro debido a la que "el hombre ha invadido el frágil medio ambiente en que viven."

Algunos científicos no están de acuerdo con esta opinión sobre la influencia del ser humano en el proceso de extinción. Uno de ellos es el Dr. John J. McKetta, profesor de ingeniería química de la Universidad de Texas, según el cual "es posible que . . . el ser humano acelere la desaparición de ciertas especies. Sin embargo, los datos disponibles indican que su influencia no tiene mucha importancia."

Son pocos los ecólogos que estarían de acuerdo con McKetta. Pero muchos reconocen que algunas especies son tan primitivas que es muy probable que desaparezcan. Ésta tal vez sea la opinión de James Fischer, Noel Simon y Jack Vincent, tres renombrados ecólogos, que han señalado que, "en cualquier época, incluida la actual,

Los cazadores han causado prácticamente la extinción del rinoceronte negro africano. ¿Correrá la misma suerte que los dinosaurios, que desaparecieron misteriosamente hace millones de años?

▲ **Los animales que pueden adaptarse a distintas circunstancias tienen más probabilidades de sobrevivir en un medio que va cambiando. Por ejemplo, estos mapaches son animales silvestres que pueden adaptarse fácilmente a un medio urbano.**

hay especies destinadas a desaparecer: son especies que la naturaleza condena a la extinción."

No se puede negar que los organismos que sobreviven son los que mejor se adaptan a los cambios del medio ambiente. El medio en que vive un organismo cambia constantemente. Algunos son cambios muy grandes, otros no. Algunos cambios ocurren muy rápidamente y, otros, lentamente. Muchos de estos cambios son obra de la naturaleza. Se levantan nuevas montañas y se desmoronan las antiguas. Las lagunas se secan; las zonas boscosas se inundan; aparecen nuevas especies que compiten con las ya existentes para alimentarse y ocupar el espacio disponible.

Pero lo que preocupa a los ecólogos es la posibilidad de que muchas plantas y animales no puedan adaptarse cuando la gente altera el medio ambiente. Aunque tal vez puedan adaptarse a cambios naturales, algunos organismos no pueden adaptarse rápidamente a los cambios causados por el ser humano.

Un animal en peligro de extinción a causa de la acción del ser humano es el rinoceronte negro africano. Este rinoceronte, de gran fuerza y tamaño, tiene pocos enemigos naturales. Se ha adaptado a vivir en las vastas llanuras africanas y a comer las plantas fibrosas que allí crecen. Pero no es un animal muy inteligente y fácilmente cae presa de los cazadores. A pesar

de que existen leyes para proteger a los rinocerontes, los cazadores los matan por sus cuernos, que pueden vender a un alto precio en ciertas partes del mundo, donde se usan en la medicina tradicional. Debido a esto, los rinocerontes están a punto de desaparecer.

Asimismo, el oso pardo es un animal feroz que tiene pocos enemigos en la naturaleza. Durante cientos de años, los osos pardos vivieron en las vastas regiones agrestes de América del Norte, pero a medida que las granjas, las fincas de ganado y los poblados comenzaron a extenderse, los osos pardos fueron desapareciendo. Los que quedan viven mucho más cerca de la gente. Pero los osos pardos y los seres humanos no se llevan bien. Estos osos rara vez atacan a la gente o al ganado pero, cuando esto ocurre, por lo general se les persigue para matarlos. Es muy posible que los osos pardos estén a punto de desaparecer.

Tanto los rinocerontes como los osos pardos son, según los científicos, animales muy especializados. Esto significa que se han adaptado a vivir en un medio muy particular. Cuando el ser humano altera ese medio (por ejemplo, invadiendo las zonas agrestes), a estos animales les resulta difícil sobrevivir.

En cambio, hay animales que no son especializados. Se han adaptado a vivir en condiciones muy variadas. El mapache es uno de ellos. Los mapaches son animales salvajes, pero también pueden sobrevivir bien en las ciudades. En lugar de comer plantas silvestres, se alimentan de basura. Si no encuentran troncos huecos para hacer su madriguera, viven en desvanes, en edificios abandonados y en garajes. En Cincinnati (Ohio), los mapaches han aprendido incluso a utilizar un túnel para cruzar una carretera de mucho tráfico. Mientras algunos animales han ido desapareciendo, los mapaches son más numerosos que nunca.

Algunos científicos piensan que, en última instancia, sólo las especies muy adaptables, como el mapache, podrán sobrevivir en un mundo que el ser humano ha cambiado. ¿Surgirán nuevas especies que se adaptarán mejor a vivir en el mundo moderno? ¿Habrán vivido más de la cuenta el rinoceronte y el oso pardo? Los ecólogos opinan que si los cambios provocados por el ser humano causan la extinción de los animales salvajes, eso significa que el medio ambiente no es un lugar apto para vivir. A la larga, un medio ambiente insalubre pondrá en peligro al género humano. Sólo el tiempo dirá si la humanidad se verá amenazada por un medio ambiente que ella misma ha creado.

GACETA:
EL MAPA DEL GENOMA HUMANO

La nariz de un dirigente mundial imaginario, separada del cuerpo de su dueño, juega un papel importante en una película cómica de los años setenta. Los villanos de la película quieren usar esa nariz para recrear a su líder desaparecido, y el héroe debe apoderarse de ella y finalmente destruirla para frustrar sus planes. En la película tienen más importancia los aspectos cómicos que los científicos, pero este relato humorístico tiene cierto fundamento en la biología. Cada una de las células del organismo de una persona, ya sea una célula de la nariz, del hígado o de la lengua, contiene una serie completa de instrucciones para crear a esa persona. Aunque quizá no estén interesados en revivir a dictadores fallecidos, muchos científicos están profundamente interesados en desentrañar esa serie de instrucciones genéticas.

Desde hace varios años, un grupo de científicos de todo el mundo han estado trabajando para descifrar los mensajes ocultos en el genoma humano, es decir, la serie completa de 46 cromosomas que determinan quiénes somos y cómo nos desarrollamos. El proyecto comprende dos tareas básicas sumamente complejas: la preparación del mapa del genoma y la determinación de la secuencia de bases del ADN. Los científicos quieren obtener un mapa completo del genoma, que muestre la ubicación de todos los genes —aproximadamente 100,000— en los filamentos de cromosomas. Pero también quieren saber el orden de las bases del ADN que forman esos genes. En este proceso, los científicos apuntan cuidadosamente el orden en que aparecen los pares de bases (de 3000 a 6000 millones) que componen el ADN cromosómico. ¡Esa lista llenaría un libro de un millón de páginas!

Es evidente que la preparación del mapa y la determinación de la secuencia de bases, para no hablar de la tarea de organizar y catalogar todos los datos, llevará mucho tiempo y requerirá mucho dinero. Los investigadores del genoma

necesitarán apoyo y fondos de la comunidad científica y del gobierno. Muchos científicos, incluido James Watson, uno de los descubridores del ADN, están a favor del proyecto del genoma y opinan que se justifica el tiempo y el dinero (200 millones de dólares por año durante 15 años) que requerirá esta tarea. Para estos científicos, el mapa completo del genoma es el "Santo Grial" de la biología. Según ellos, los posibles beneficios justifican el costo de todas las investigaciones. Están convencidos de que, cuando se comprenda mejor el código genético, será posible detectar defectos genéticos e idear estrategias más eficaces para corregirlos. Un ejemplo de estos adelantos es el reciente descubrimiento del gene que falla cuando una célula de colon se convierte en célula cancerosa. Con este nuevo descubrimiento, los científicos esperan poder detectar el cáncer de colon muy al comienzo e incluso identificar a las personas que tienen una predisposición a esa enfermedad. Los investigadores también piensan utilizar técnicas de ingeniería genética y terapia genética para combatir otras enfermedades mortales, como las enfermedades cardíacas y el SIDA. Consideran además que el conocimiento a fondo del genoma puede ser la clave para descifrar otros misterios de la biología, como el comportamiento y la evolución del ser humano.

Los que se oponen al proyecto del genoma humano, en cambio, insisten en que las desventajas de la ingeniería genética son mucho mayores que sus ventajas. Una de sus preocupaciones más importantes son los problemas éticos que plantea la investigación del genoma humano. Algunos investigadores y otras personas temen que la preparación de mapas genéticos y la determinación de la secuencia de bases den lugar a tecnologías que afirmen el control del ser humano sobre la naturaleza. Les preocupa que lo que comience siendo una terapia genética para curar enfermedades se convierta en técnicas de mejoramiento genético para crear individuos "mejorados," es decir, más inteligentes, más esbeltos y más hermosos. Estos investigadores opinan que la exploración del genoma es una tarea científica sin valor, un trabajo monótono de poca utilidad que absorberá dinero y esfuerzos que sería más provechoso dedicar a otros fines. Por lo menos, quieren que la tarea de preparar el mapa genético y determinar la secuencia de bases se haga con más calma y prudencia.

> ▼ **Es posible que si se descifra el misterio del genoma humano, todos los niños lleguen a desarrollar al máximo su potencial genético.**

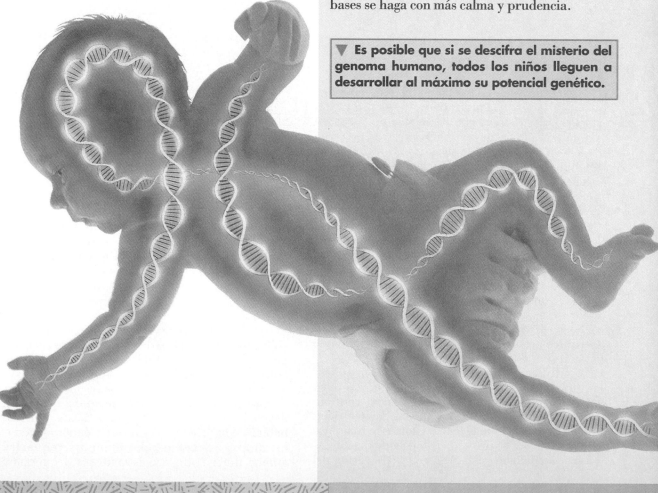

▶ **Las células del cuerpo humano contienen 23 pares de cromosomas. Dentro de cada cromosoma hay una única molécula de ADN. Esa molécula tiene una estructura parecida a una escalera de caracol cuyos peldaños están hechos de bases nitrogenadas: adenina (A), guanina (G), citosina (C) y timina (T).**

Mientras continúan los debates sobre los aspectos éticos, económicos y políticos del proyecto del genoma humano, los científicos analizan el genoma e inventan nuevas técnicas para continuar sus investigaciones. Gracias al descubrimiento de métodos para separar y reordenar trozos de ADN y a la creación de un "secuenciador" automático, la tarea de preparar el mapa y determinar la secuencia de bases se ha hecho más fácil y más precisa. Uno de los problemas principales que plantea el proyecto es el del procesamiento de la nueva información. Especialistas en computadoras están diseñando bancos de datos para recoger y analizar esa información a medida que se obtiene. ¿Quién sabe qué harán los productores y directores de cine con estas ideas, novedades e inventos en el futuro?

▼ **Algunos de los genes existentes en los cromosomas pueden causar enfermedades y trastornos en el ser humano. Al determinar la secuencia de los genes en distintos cromosomas, los científicos esperan poder tratar algún día algunas de estas enfermedades e incluso curarlas.**

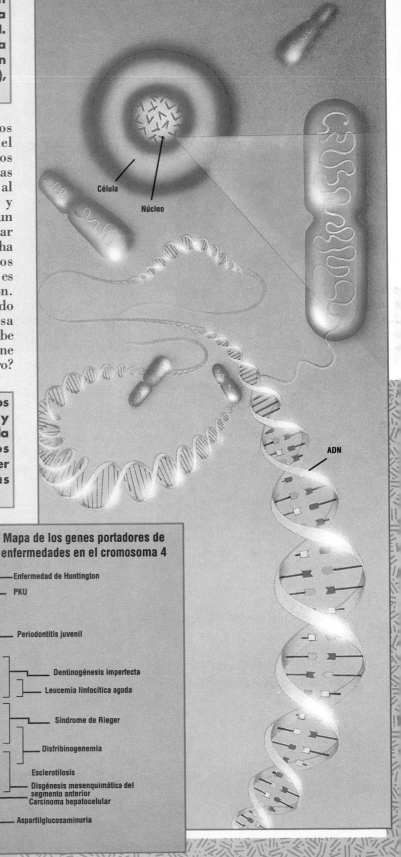

Célula

Núcleo

ADN

Mapa de los genes portadores de enfermedades en el cromosoma 3

- Síndrome de von Hippel-Lindau
- Resistencia a la hormona de la tiroides
- Cáncer microcelular de pulmón
- Gangliosidosis GM-1
- Carcinoma renocelular
- Carencia de proteína S
- Oroticaciduria
- Propionicacidemia
- Atransferrinemia
- Apnea postanastésica
- Intolerancia a la sucrosa

Mapa de los genes portadores de enfermedades en el cromosoma 4

- Enfermedad de Huntington
- PKU
- Periodontitis juvenil
- Dentinogénesis imperfecta
- Leucemia linfocítica aguda
- Síndrome de Rieger
- Disfibrinogenemia
- Esclerotilosis
- Disgénesis mesenquimática del segmento anterior
- Carcinoma hepatocelular
- Aspartilglucosaminuria

For Further Reading

If you have been intrigued by the concepts examined in this textbook, you may also be interested in the ways fellow thinkers—novelists, poets, essayists, as well as scientists—have imaginatively explored the same ideas.

Chapter 1: What Is Genetics?

Chetwin, Grace. *Gom on Windy Mountain*. New York: Lothrop, Lee & Shepard.

Greenfield, Eloise, and Lessie Jones Little. *Childtimes*. New York: Thomas Y. Crowell.

Mayne, William. *Gideon Ahoy!* New York: Delacorte Press.

Wismer, Donald. *Starluck*. Garden City, NY: Doubleday & Co.

Chapter 2: How Chromosomes Work

Arkin, Alan. *The Lemming Condition*. New York: Harper & Row.

Lowry, Lois. *Rabble Starkey*. Boston: Houghton-Mifflin.

Paterson, Katherine. *Jacob Have I Loved*. New York: Thomas Y. Crowell.

Slepian, Jan. *The Alfred Summer*. New York: Macmillan Co.

Chapter 3: Human Genetics

Hamilton, Virginia. *Arilla Sundown*. New York: Greenwillow.

Skurzynski, Gloria. *Manwolf*. New York: Houghton Mifflin-Clarion Books.

Sleator, William. *Singularity*. New York: E. P. Dutton.

Chapter 4: Applied Genetics

Ames, Mildred. *Anna to the Infinite Power*. New York: Scribner.

Babbitt, Natalie. *Tuck Everlasting*. New York: Farrar, Straus and Giroux.

Hilton, James. *Lost Horizon*. New York: Morrow.

Otras lecturas

Si los conceptos que has visto en este libro te han intrigado, puede interesarte ver cómo otros pensadores—novelistas, poetas, ensayistas y también científicos—han explorado con su imaginación las mismas ideas.

Capítulo 1: ¿Qué es la genética?

Chetwin, Grace. *Gom on Windy Mountain*. New York: Lothrop, Lee & Shepard.

Greenfield, Eloise, and Lessie Jones Little. *Childtimes*. New York: Thomas Y. Crowell.

Mayne, William. *Gideon Ahoy!* New York: Delacorte Press.

Wismer, Donald. *Starluck*. Garden City, NY: Doubleday & Co.

Capítulo 2: ¿Cómo funcionan los cromosomas?

Arkin, Alan. *The Lemming Condition*. New York: Harper & Row.

Lowry, Lois. *Rabble Starkey*. Boston: Houghton-Mifflin.

Paterson, Katherine. *Jacob Have I Loved*. New York: Thomas Y. Crowell.

Slepian, Jan. *The Alfred Summer*. New York: Macmillan Co.

Capítulo 3: Genética humana

Hamilton, Virginia. *Arilla Sundown*. New York: Greenwillow.

Skurzynski, *Gloria*. Manwolf: New York: Houghton Mifflin-Clarion Books.

Sleator, William. *Singularity*. New York: E. P. Dutton.

Capítulo 4: Genética aplicada

Ames, Mildred. *Anna to the Infinite Power*. New York: Scribner.

Babbitt, Natalie. *Tuck Everlasting*. New York: Farrar, Straus and Giroux.

Hilton, James. *Lost Horizon*. New York: Morrow.

ctivity Bank

Welcome to the Activity Bank! This is an exciting and enjoyable part of your science textbook. By using the Activity Bank you will have the chance to make a variety of interesting and different observations about science. The best thing about the Activity Bank is that you and your classmates will become the detectives, and as with any investigation you will have to sort through information to find the truth. There will be many twists and turns along the way, some surprises and disappointments too. So always remember to keep an open mind, ask lots of questions, and have fun learning about science.

Pozo de actividades

¡Bienvenido al pozo de actividades! Ésta es la parte más excitante y agradable de tu libro de ciencias. Usando el pozo de actividades tendrás la oportunidad de hacer observaciones interesantes sobre ciencias. Lo mejor del pozo de actividades es que tú y tus compañeros actuarán como detectives, y, como en toda investigación, deberás buscar a través de la información para encontrar la verdad. Habrá muchos tropiezos, sorpresas y decepciones a lo largo del proceso. Por eso, recuerda mantener la mente abierta, haz muchas preguntas y diviértete aprendiendo sobre ciencias.

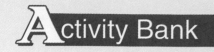

TULIPS ARE BETTER THAN ONE

Gregor Mendel was able to cross pea plants with different traits through the process of cross-pollination. In cross-pollination, pollen from the stamen of one flower is transferred to the pistil of another flower. In addition to stamens and pistils, what are the other parts of a flower? This activity will help you to find out. You will need a tulip flower and a hand lens. Now follow these steps.

1. Compare your tulip flower with the drawing of a typical flower shown here.

2. Identify the sepals on the underside of the flower. Record their number, color, and shape. Break off a sepal and examine it with a hand lens.

3. Examine the flower's petals, the colored parts just above the sepals. Record their number, color, and shape. Remove a petal and examine it with a hand lens. Does your flower petal have a fragrance?

4. Identify the stamens. Record their number, color, and shape. Remove a stamen and examine it with a hand lens. Identify the filament, which is the stalklike structure, and the anther, the structure at the tip of the filament. Where is the pollen located? Shake some pollen onto a sheet of paper and examine the pollen with a hand lens. Draw what you see.

5. Locate the pistil at the center of the flower. Refer to the drawing of a typical flower to help you identify the stigma, style, and ovary. Where do the seeds develop?

Do It Yourself

Did you know that some plants have both male and female flowers? The male flowers contain only stamens and the female flowers contain only pistils. Go to the library and find out the names of several plants that have male and female flowers. If possible, obtain a specimen of such a flower and show it to the class.

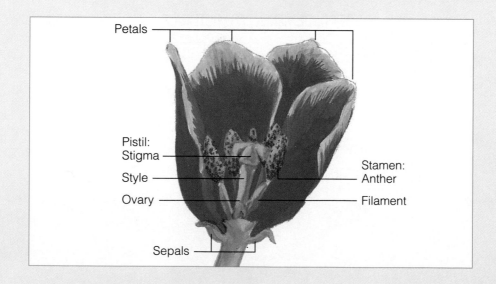

UN PAR DE TULIPANES

Gregorio Mendel cruzó plantas de guisantes con caracteres diferentes mediante el proceso de polinización cruzada. En este proceso se transfiere polen del estambre de una flor al pistilo de otra. Además de los estambres y los pistilos, ¿cuáles son las partes de una flor? Esta tarea te ayudará a averiguarlo. Necesitas un tulipán y una lupa. Sigue ahora estos pasos.

1. Compara tu tulipán con el dibujo de una flor típica que se muestra aquí.

2. Identifica los sépalos en la parte inferior de la flor. Apunta su número, color y forma. Separa un sépalo y examínalo con la lupa.

3. Examina los pétalos, que son las partes de color situadas encima de los sépalos. Apunta su número, color y forma. Separa un pétalo y examínalo con la lupa. ¿Tiene perfume?

4. Identifica los estambres. Apunta su número, color y forma. Separa un estambre y examínalo con la lupa. Identifica el filamento, que es como un pequeño tallo, y la antera, que es la estructura en el extremo del filamento. ¿Dónde está el polen? Recoge un poco de polen en una hoja de papel y examínalo con la lupa. Dibuja lo que ves.

5. Ubica el pistilo en el centro de la flor. Usa el dibujo de una flor típica para ayudarte a identificar el estigma, el estilo y el ovario. ¿Dónde se desarrollan las semillas?

Por tu cuenta

¿Sabías que algunas plantas tienen flores masculinas y femeninas? Las masculinas sólo contienen estambres y las femeninas, sólo pistilos. Averigua en la biblioteca los nombres de varias plantas que tienen flores masculinas y femeninas, y trata de conseguir una para mostrarla a tu clase.

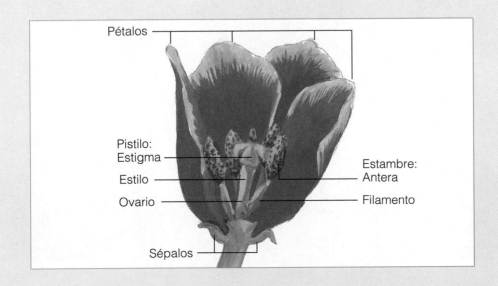

Pétalos

Pistilo:
Estigma

Estilo

Ovario

Sépalos

Estambre:
Antera

Filamento

Like Gregor Mendel, geneticists use the laws of probability to predict the results of genetic crosses. Do you ever use probability in your daily life?

Imagine that your school soccer team is about to play its first home game. The stands are filled to capacity. As team captain, you are about to take part in the coin toss. Nervously, you watch as the referee flips the coin into the air. "Heads!" you shout. Did you win the toss?

Probability is the likelihood that a coin will come up heads or tails on any one toss. What is the likelihood that the coin would land heads up and you would win the toss? You can perform a simple activity to find out. All you need is a coin.

First answer these questions. What are the possible ways the coin could have landed after it was tossed? What are the chances that the coin would have landed heads up? Tails up?

Suppose you were to toss a coin 20 times. How many times do you predict the coin would land heads up? Tails up? What percentage of the time do you predict the coin would land heads up? Tails up?

Now test your predictions. Flip the coin 20 times. Record the number of times it lands heads up and the number of times it lands tails up. Find the percentages by dividing the number of times the coin landed heads up or tails up by 20 and then multiplying by 100. What percentage of the time did the coin land heads up? Tails up? Were your predictions correct? Explain.

Combine the results of the coin toss for the entire class. Are the combined results closer to your predictions? Explain.

¿CARA O CRUZ?

Igual que Gregorio Mendel, los genetistas usan la ley de la probabilidad para predecir los resultados de los cruzamientos genéticos. ¿Usas las probabilidades en tu vida diaria?

Imagina que tu equipo de fútbol juega su primer partido local. Las graderías están llenas. Como capitán del equipo, te corresponde participar en el sorteo inicial. Miras nerviosamente al árbitro cuando tira al aire la moneda. ¡Cara! ¿Has ganado el sorteo?

La probabilidad se refiere a las posibilidades de que una moneda caiga de un lado o de otro. ¿Cuáles son las probabilidades de que la moneda caiga de cara y tú ganes? Puedes realizar una actividad sencilla para averiguarlo. Todo lo que necesitas es una moneda.

Contesta primero estas preguntas. ¿Cuáles eran las formas posibles en que podría haber caído la moneda? ¿Cuáles eran las posibilidades de que la moneda cayera de cara? ¿Y de cruz?

Imagina que tiras una moneda 20 veces. ¿Cuántas veces piensas que la moneda caerá de cara? ¿Cuántas de cruz? ¿Qué porcentaje de las veces piensas que la moneda caerá de cara, y cuántas de cruz?

Pon a prueba tus predicciones. Tira la moneda 20 veces. Apunta el número de veces que cae de cara y el número de veces que cae de cruz. Averigua los porcentajes, dividiendo el número de veces que la moneda cayó de cara o de cruz por 20 y multiplicándolo por 100. ¿Qué porcentaje de las veces cayó la moneda de cara? ¿Y de cruz? ¿Fueron correctas tus predicciones? Explica esto.

Combina los resultados de toda la clase. ¿Son los resultados combinados más parecidos a tus predicciones? Explica.

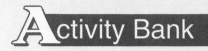

A MODEL OF MEIOSIS

Meiosis is the process in which an organism's sex cells are produced. The process of meiosis ensures that each sex cell has half the normal number of chromosomes for that particular organism. In this activity you will construct a model of meiosis for an organism with four chromosomes in its body cells.

Materials

3 sheets of paper
drawing compass
4 red pipe cleaners
4 white pipe cleaners

Procedure

1. On a sheet of paper, draw a circle about 15 cm in diameter. This circle represents a parent cell about to undergo meiosis.

2. Arrange four pipe cleaners, two white and two red, randomly inside the circle. The pipe cleaners represent two pairs of chromosomes.

Pipe—cleaner

3. Place another white pipe cleaner next to each of the white "chromosomes." Place another red pipe cleaner next to each red "chromosome." These pipe cleaners represent the doubled chromosomes in the first step of meiosis.

4. Draw two circles side by side on a second sheet of paper. These circles represent the two new cells produced during the first cell division of meiosis. Divide the doubled "chromosomes" equally between the two new cells. How many white "chromosomes" are present in each new cell? How many red?

MODELO DE LA MEIOSIS

La meiosis es el proceso por el cual se producen las células sexuales de los organismos. El proceso de meiosis asegura que cada célula sexual tenga la mitad del número normal de cromosomas de ese organismo. En esta actividad, harás un modelo de la meiosis para un organismo que tiene cuatro cromosomas en cada célula.

Materiales

3 hojas de papel
compás
4 limpiapipas rojos
4 limpiapipas blancos

Procedimiento

1. En una hoja de papel, dibuja un círculo de unos 15 cm de diámetro para representar una célula progenitora a punto de iniciar la meiosis.

2. Coloca cuatro limpiapipas, dos blancos y dos rojos, al azar dentro del círculo. Los limpiapipas representan dos pares de cromosomas.

Limpia-
pipas

3. Coloca otro limpiapipas blanco al lado de cada uno de los "cromosomas" blancos. Coloca otro limpiapipas rojo al lado de cada "cromosoma" rojo. Estos limpiapipas representan los dobles cromosomas del primer paso de la meiosis.

4. Dibuja dos círculos, uno junto al otro, en una segunda hoja de papel. Estos círculos representan las dos nuevas células producidas durante la primera división celular de la meiosis. Divide los "cromosomas" duplicados por igual entre las dos nuevas células. ¿Cuántos "cromosomas" blancos hay en cada nueva célula? ¿Cuántos cromosomas rojos?

5. Draw four circles side by side on a third sheet of paper. These circles represent the sex cells that are the product of the second cell division of meiosis. Divide the pipe cleaners equally to represent the "chromosomes" present in the sex cells. How many white "chromosomes" are there in each sex cell? How many red?

Think for Yourself

1. Why is it important that each sex cell have only half the normal number of chromosomes found in body cells?

2. The process of meiosis is sometimes called reduction division. Do you think this term accurately describes the process? Why or why not?

Going Further

Make a model of meiosis for an organism with six chromosomes. How many more pipe cleaners will you need? Will you need to use a third color in addition to white and red? Why or why not?

5. Dibuja cuatro círculos, uno junto a otro, en una tercera hoja de papel. Estos círculos representan las células sexuales, que son producto de la segunda división celular de la meiosis. Divide los limpiapipas por igual para representar los "cromosomas" que hay en las células sexuales. ¿Cuántos "cromosomas" blancos hay en cada célula sexual? ¿Cuántos "cromosomas" rojos?

Piensa por tu cuenta

1. ¿Por qué es importante que cada célula sexual tenga sólo la mitad del número normal de cromosomas que hay en las células somáticas?

2. El proceso de meiosis se llama a veces división reductora. ¿Crees que este término describe en forma exacta el proceso? ¿Por qué?

Investiga más

Haz un modelo de meiosis para un organismo con seis cromosomas. ¿Cuántos limpiapipas más necesitarás? ¿Tendrás que usar un tercer color, además del blanco y el rojo? ¿Por qué?

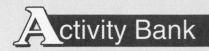

STALKING THE WILD FRUIT FLY

Ever since the days of Thomas Hunt Morgan, fruit flies have been used for genetic experiments. These tiny flies are commonly seen on and around displays of fresh (and overripe) fruits and vegetables. In this activity you will collect fruit flies and observe the stages in their life cycle.

Materials

paper towel	ripe banana
2 glass jars, 1	cotton
with cover	hand lens

Procedure

1. Place a small piece of paper towel on the bottom of each jar.

2. Put a piece of ripe banana on the paper towel in each jar. Cover one jar tightly. Leave the second jar open.

3. Place both jars outdoors where they will not be disturbed for 24 hours.

4. After 24 hours observe the jars. Were fruit flies present in either jar? If so, which one?

5. Plug the mouth of the open jar with cotton. Use the hand lens to observe the adult fruit flies in the plugged jar. Can you see a difference between male and female fruit flies? Describe any differences you see.

6. Look for eggs that may have been deposited on the bottom of the jar. Describe the color and size of the eggs.

7. A few days after the eggs appear, look for tiny wiggly "worms" to emerge. These are fruit fly larvae, the second stage in their life cycle.

8. After a few days, watch for the larvae to crawl onto the paper and enter the pupa stage. The adult fruit flies will emerge from the pupae. How long did it take for the fruit flies to develop from eggs to adults?

Analysis and Conclusions

1. Describe the life cycle of fruit flies from egg to adult.

2. According to the old theory of spontaneous generation, fruit flies developed from rotting fruit. How does this activity disprove the theory of spontaneous generation?

OBSERVACIÓN DE LA MOSCA DE LA FRUTA

Desde los días de Thomas Hunt Morgan, se han usado moscas de la fruta para los experimentos genéticos. Estas pequeñísimas moscas suelen verse sobre las frutas y hortalizas frescas (y muy maduras). En esta actividad, obtendrás moscas de la fruta y observarás las etapas de su ciclo vital.

Materiales

toalla de papel   banana madura
2 frascos de vidrio, 1   algodón
   con tapa   lupa

Procedimiento

1. Coloca un pequeño trozo de toalla de papel en el fondo de cada frasco.

2. Coloca un trozo de banana sobre la toalla de papel en cada frasco. Cubre bien uno de los frascos. Deja el segundo abierto.

3. Deja ambos frascos al aire libre y sin tocar durante 24 horas.

4. Después de 24 horas, observa los frascos. ¿Hay moscas de la fruta en alguno de ellos? ¿En cuál?

5. Cubre con un trozo de algodón la boca del frasco abierto. Usa la lupa para observar las moscas adultas en el frasco. ¿Puedes ver la diferencia entre las moscas macho y hembra? Describe las diferencias que veas.

6. Mira si hay huevos en el fondo del frasco. Describe el color y el tamaño de los huevos.

7. Unos días después de la aparición de los huevos, mira si han aparecido pequeños "gusanitos". Esas son las larvas de la mosca, la segunda fase de su ciclo vital.

8. Tras unos días, observa cómo las larvas reptan sobre el papel y pasan a la fase de pupa. Las moscas adultas emergerán de las pupas. ¿Cuánto tiempo tardaron las moscas de la fruta en desarrollarse desde huevos a adultos?

Análisis y conclusiones

1. Describe el ciclo vital de las moscas de la fruta, de huevo a adulto.

2. Según la antigua teoría de la generación espontánea, las moscas de la fruta nacían de la fruta en descomposición. ¿Cómo se demuestra en esta actividad que la teoría de la generación espontánea es errónea?

WHERE DO PROTEINS COME FROM?

Your physical traits—from the shape of your ears to the color of your eyes—are determined by the chromosomes you received from your parents. The main function of chromosomes is to control the production of proteins, such as the enzymes that control eye color. Proteins are made in the cells of your body. Proteins are also present in the food you eat. Which foods contain proteins? You can perform a simple experiment to find out.

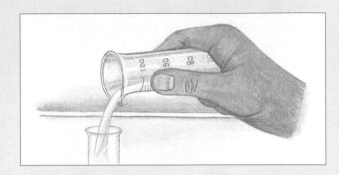

Materials

5 test tubes	Biuret solution
5 rubber stoppers	egg white
glass-marking pencil	cottage cheese
test-tube rack	bacon fat
graduated cylinder	canned tuna
	milk

Procedure 🧪 🩹 👁

1. Place a small sample of each of the foods listed into a separate test tube. Use the glass-marking pencil to label each test tube.

2. Add 5 mL of Biuret solution to each test tube. **CAUTION:** *Be careful not to spill Biuret solution on your skin or clothing. If a spill occurs, rinse with plenty of water.*

3. Seal each test tube with a rubber stopper. Shake each test tube and observe what happens. A pink or purple color indicates the presence of protein. If you do not see any color change, no protein is present. Record your observations in a data table similar to the one shown here. Which foods contain protein? Which do not?

Observations

DATA TABLE

Food	Protein Present (Yes/No)
Egg white	
Cottage cheese	
Bacon fat	
Tuna	
Milk	

Going Further

Do you think proteins are present in fruits, vegetables, and cereals? With your teacher's permission, design and perform an experiment to find out.

¿DE DÓNDE VIENEN LAS PROTEÍNAS?

Tus características físicas, desde la forma de tus orejas hasta el color de tus ojos, son determinadas por los cromosomas que has recibido de tus progenitores. La principal función de los cromosomas es controlar la producción de proteínas, como las enzimas que controlan el color de los ojos. Las proteínas se forman en las células de tu cuerpo y también están presentes en los alimentos que comes. ¿Qué alimentos contienen proteínas? Puedes realizar un experimento sencillo para averiguarlo.

Materiales

5 tubos de ensayo
5 tapones de goma
marcador para escribir
   sobre vidrio
soporte de tubos
   de ensayo
cilindro graduado

solución de Biuret
clara de huevo
requesón
grasa de tocino
atún enlatado
leche

Procedimiento

1. Coloca una pequeña muestra de cada uno de los alimentos en un tubo de ensayo. Usa un marcador de vidrio para rotular cada tubo de ensayo.

2. Añade 5 ml de solución de Biuret a cada tubo. **CUIDADO:** *Ten cuidado de no verter solución de Biuret sobre tu piel o tu ropa. Si esto ocurre, lávate con agua abundante.*

3. Cierra cada tubo de ensayo con un tapón de goma. Agita cada tubo de ensayo y observa lo que ocurre. El color rosa o morado indica la presencia de proteínas. Si no observas ningún cambio en el color, no hay proteínas. Registra tus observaciones en un cuadro de datos similar al que se muestra aquí. ¿Qué alimentos contienen proteínas? ¿Qué alimentos no contienen proteínas?

Observaciones

CUADRO DE DATOS

Alimento	Proteínas presentes (Si/No)
Clara de huevo	
Requesón	
Grasa de tocino	
Atún	
Leche	

Investiga más

¿Hay proteínas en las frutas, las hortalizas y los cereales? Con el permiso de tu profesor(a), diseña y realiza un experimento para averiguarlo.

HOW CAN YOU GROW A PLANT FROM A CUTTING?

Once plant breeders have developed plants with desirable traits, it is important that they be able to produce more of the plants. One way they do this is to take a cutting from the original plant and let the cutting grow into a new plant. The new plant will be identical to the parent plant. Like plant breeders, you too can grow a plant from a cutting.

Materials

houseplant	knife
small pot	pencil
peat moss	plastic bag
coarse sand	rubber band

Procedure

1. Mix equal amounts of peat moss and coarse sand. Fill a small pot with this mixture to just below the rim of the pot.

2. Using a sharp knife, cut off the top 7 to 10 cm of the stem or side shoot of a houseplant. **CAUTION:** *Be careful when using a knife or other sharp instrument.*

3. Pull off the lower leaves and make a clean cut across the stem just below a leaf node.

4. With a pencil, make a hole about 3 cm deep in the potting mixture. Make the hole near the edge of the pot.

5. Insert the cutting so that the stem is supported by the edge of the pot. Gently firm the mixture around the cutting. **Note:** *You may want to make holes for several cuttings in the same pot.*

6. Water the cuttings thoroughly and let the pot drain.

CÓMO CULTIVAR UNA PLANTA A PARTIR DE UN TALLO

Una vez que los productores de plantas obtienen plantas con rasgos deseables, es importante que puedan reproducirlas. Una forma de hacerlo es tomar un tallos de la planta original y hacer que crezca para convertirse en una nueva planta, la cual será idéntica a la planta progenitora. Igual que ellos, tú también puedes cultivar una planta a partir de un tallo.

Materiales

planta	cuchillo
maceta pequeña	lápiz
musgo para retoños (tierra)	bolsa de plástico
	elástico
arena gruesa	

Procedimiento

1. Mezcla una cantidad igual de musgo, o tierra y arena. Llena con esta mezcla una maceta pequeña casi hasta el borde.

2. Con un cuchillo bien afilado, corta entre 7 y 10 cm de un brote de una planta. **CUIDADO:** *Ten cuidado al usar un cuchillo u otro instrumento cortante.*

3. Quita las hojas inferiores y haz un corte limpio en el tallo, justo por debajo de uno de los puntos donde se insertan las hojas.

4. Con un lápiz, haz un agujero de unos 3 cm de profundidad en la mezcla, cerca del borde de la maceta.

5. Coloca el tallo de modo que quede apoyado en el borde de la maceta. Afirma con cuidado la mezcla alrededor del tallo. **Nota:** *Puedes hacer agujeros para colocar varios tallos en la misma maceta.*

6. Riega bien los tallos y deja que el agua se escurra.

7. Cover the pot with a plastic bag. Hold the bag in place with a rubber band.

them in individual pots. Water your new plants and watch them grow!

8. Put the pot in a warm, shaded spot. Keep the mixture moist.

9. After three to four weeks, you should see new growth at the tips of your cuttings. Remove the plastic bag and carefully tilt the pot to remove the cuttings. Separate the cuttings and plant

Do It Yourself

Growing a new plant from a cutting, as you did in this activity, is called vegetative propagation. Using reference materials, look up the meaning of this term. What are some other methods of vegetative propagation? Report on your findings to the class.

7. Cubre la maceta con una bolsa de plástico y sujeta la bolsa con un elástico.

macetas individuales. Riega tus plantas y observa cómo crecen.

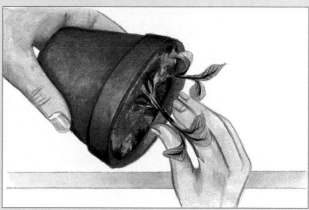

8. Deja la maceta en un lugar cálido y a la sombra. Mantén húmeda la mezcla.

9. Después de tres o cuatro semanas, deberías ver brotes nuevos en los extremos de tus tallos. Quita la bolsa de plástico y saca con mucho cuidado los tallos. Sepáralos y plántalos en

Por tu cuenta

Lo que has hecho se llama propagación vegetativa. Usando materiales de referencia, averigua el significado de este término. ¿Cuáles son otros métodos de propagación vegetativa? Comunica tus resultados a la clase.

HOW DO BACTERIA GROW?

Bacteria are useful in genetic engineering because they reproduce quickly. Bacteria are single-celled organisms. They reproduce by splitting in two. This method of reproduction is called binary fission. ("Binary" means two and "fission" means to split.) In this activity you will observe how bacteria can be grown on agar, which is a substance made from seaweed.

Materials

2 sterile petri dishes with agar

glass-marking pencil

cotton swab

tape

hand lens

Procedure

1. Obtain two sterile petri dishes with agar. Why is it important that the petri dishes and agar be sterilized?

2. With a glass-marking pencil, label one petri dish A and the other dish B.

3. Draw a cotton swab across your desk, the back of your hand, a windowsill, or any other spot where you think bacteria might be present.

4. Raise one side of the lid of petri dish A. Move the cotton swab in a zigzag motion across the surface of the agar. Immediately close the lid of the petri dish. Why is it important that you raise only one side of the lid and then close it immediately?

5. Do not open petri dish B. Tape both petri dishes closed. What is the function of petri dish B?

6. Place both petri dishes in a warm, dark place where they will not be disturbed.

7. Observe each dish with a hand lens every day for four days. **CAUTION:** *Do not open the petri dishes.* Record your observations in a data table similar to the one shown here.

8. After four days, draw what you see in petri dish A and in petri dish B. In which petri dish did you see more bacteria growing?

Observations

DATA TABLE

Petri Dish	Day 1	Day 2	Day 3	Day 4
A				
B				

Analysis and Conclusions

1. Based on the results of this activity, what conditions are necessary for the growth of bacteria?

2. What are some things you could do to slow down the growth of bacteria?

3. Share your results with the class. In what locations were bacteria found to be present?

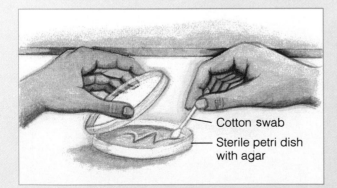

Cotton swab

Sterile petri dish with agar

¿CÓMO CRECEN LAS BACTERIAS?

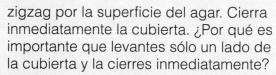

Las bacterias son útiles en la ingeniería genética porque se reproducen rápidamente. Son organismos unicelulares y se reproducen dividiéndose en dos partes. Este método de reproducción se llama fisión binaria. ("Binario" significa dos y "fisión" significa dividirse.) En esta actividad, observarás cómo crecen las bacterias en agar, que es una sustancia hecha de algas.

Materiales

2 placas petri estériles con agar
marcador para vidrio
hisopo de algodón
cinta adhesiva
lupa

Procedimiento

1. Consigue dos placas petri con agar. ¿Por qué es importante que las placas petri y el agar estén esterilizados?

2. Con un marcador para vidrio, rotula una placa petri "A" y la otra "B."

3. Pasa el hisopo por tu escritorio, el revés de tu mano, el marco de la ventana o cualquier sitio donde pienses que hay bacterias.

4. Levanta un lado de la cubierta de la placa petri "A" y pasa el hisopo en zigzag por la superficie del agar. Cierra inmediatamente la cubierta. ¿Por qué es importante que levantes sólo un lado de la cubierta y la cierres inmediatamente?

5. No abras la placa petri "B." Cierra ambas placas con cinta adhesiva. ¿Cuál es la función de la placa petri "B"?

6. Deja ambas placas en un lugar cálido y oscuro, donde nadie vaya a tocarlos.

7. Observa cada placa petri con una lupa cada cuatro días. **CUIDADO:** *No abras las placas petri.* Apunta tus observaciones en un cuadro de datos similar al que se ve aquí.

8. Después de cuatro días, dibuja lo que ves en la placa petri "A" y en la "B." ¿En qué placa petri has visto más bacterias en crecimiento?

Observaciones

CUADRO DE DATOS

Placa petri	Día 1	Día 2	Día 3	Día 4
A				
B				

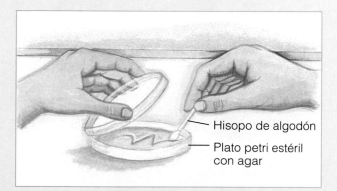

Hisopo de algodón
Plato petri estéril con agar

Análisis y conclusiones

1. Sobre la base de los resultados de esta actividad, ¿qué condiciones son necesarias para el crecimiento de las bacterias?

2. ¿Qué podrías hacer para reducir el ritmo de crecimiento de las bacterias?

3. Comunica tus resultados a la clase. ¿En qué lugares había bacterias?

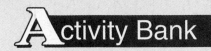

The freezing point of water is 0°C. This is the temperature at which liquid water freezes and becomes solid ice. In the presence of genetically engineered ice-minus bacteria, the freezing point of water can be lowered to -5°C. Is there any other way to lower the freezing point of water? Try this activity to find out.

Materials

ice cubes
water
Styrofoam cup
salt

plastic spoon
Celsius
    thermometer

Procedure

1. Put some ice cubes into a Styrofoam cup and fill the cup with water.

2. Place a Celsius thermometer in the ice-water mixture. Wait a few minutes and then read the temperature on the thermometer. What is the temperature of the ice-water mixture?

3. Remove the thermometer. Add one or two spoonfuls of salt to the ice-water mixture and stir to dissolve. Replace the thermometer.

4. Wait a few minutes and then read the temperature. What is the temperature of the ice-water mixture plus the dissolved salt? What effect did adding salt to the mixture have on the temperature?

Think for Yourself

Based on your observations, why do you think people often sprinkle rock salt on icy sidewalks?

El punto de congelación del agua es 0°C. Ésta es la temperatura a la que el agua líquida se congela y se convierte en hielo sólido. En presencia de bacterias "de bajo hielo" genéticamente alteradas, es posible bajar el punto de congelación del agua a –5°C. ¿Hay otras formas de bajar el punto de congelación del agua? Haz esta actividad para averiguarlo.

Materiales

cubitos de hielo
agua
vaso de estireno
sal

cuchara de plástico
termómetro Celsius

Procedimiento

1. Coloca algunos cubitos de hielo en el vaso y llénalo con agua.

2. Coloca un termómetro Celsius en la mezcla de agua y hielo. Aguarda unos minutos y lee la temperatura del termómetro. ¿Cuál es la temperatura de la mezcla de agua y hielo?

3. Quita el termómetro. Añade una o dos cucharadas de sal al agua con hielo y revuelve para que se disuelvan. Vuelve a colocar el termómetro.

4. Espera unos minutos y lee la temperatura. ¿Cuál es la temperatura de la mezcla de agua y hielo, más la sal disuelta? ¿Qué efecto tuvo el añadir sal a la mezcla en la temperatura?

Piensa por tu cuenta

En base a tus observaciones, ¿por qué piensas que la gente suele arrojar sal en las veredas cubiertas de hielo?

The metric system of measurement is used by scientists throughout the world. It is based on units of ten. Each unit is ten times larger or ten times smaller than the next unit. The most commonly used units of the metric system are given below. After you have finished reading about the metric system, try to put it to use. How tall are you in metrics? What is your mass? What is your normal body temperature in degrees Celsius?

Commonly Used Metric Units

Length The distance from one point to another

meter (m)   A meter is slightly longer than a yard.
1 meter = 1000 millimeters (mm)
1 meter = 100 centimeters (cm)
1000 meters = 1 kilometer (km)

Volume The amount of space an object takes up

liter (L)   A liter is slightly more than a quart.
1 liter = 1000 milliliters (mL)

Mass The amount of matter in an object

gram (g)   A gram has a mass equal to about one paper clip.

1000 grams = 1 kilogram (kg)

Temperature The measure of hotness or coldness

degrees   0°C = freezing point of water
Celsius (°C) 100°C = boiling point of water

Metric–English Equivalents

2.54 centimeters (cm) = 1 inch (in.)
1 meter (m) = 39.37 inches (in.)
1 kilometer (km) = 0.62 miles (mi)
1 liter (L) = 1.06 quarts (qt)
250 milliliters (mL) = 1 cup (c)
1 kilogram (kg) = 2.2 pounds (lb)
28.3 grams (g) = 1 ounce (oz)
$°C = 5/9 \times (°F - 32)$

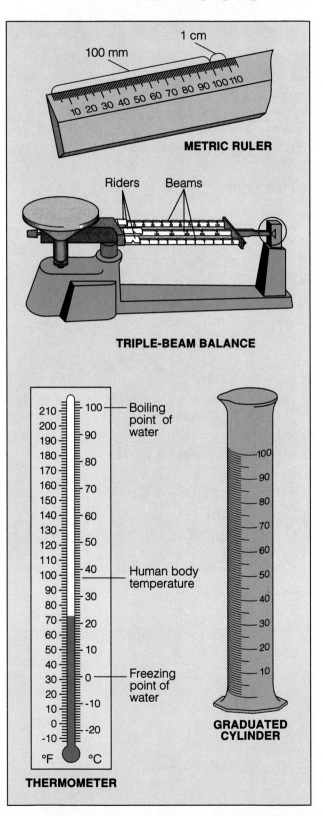

METRIC RULER

TRIPLE-BEAM BALANCE

THERMOMETER

GRADUATED CYLINDER

Apéndice A

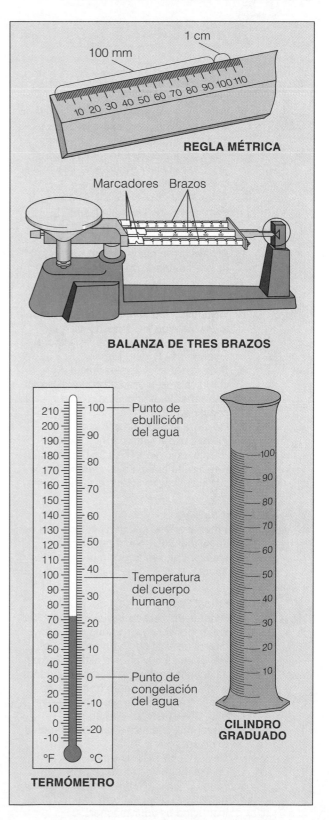

Los científicos de todo el mundo usan el sistema métrico. Está basado en unidades de diez. Cada unidad es diez veces más grande o más pequeña que la siguiente. Abajo se pueden ver las unidades del sistema métrico más usadas. Cuando termines de leer sobre el sistema métrico, trata de usarlo. ¿Cuál es tu altura en metros? ¿Cuál es tu masa? ¿Cuál es tu temperatura normal en grados Celsio?

Unidades métricas más comunes

Longitud   Distancia de un punto a otro

metro (m)   Un metro es un poco más largo que una yarda.

1 metro = 1000 milímetros (mm)
1 metro = 100 centímetros (cm)
1000 metros = 1 kilómetro (km)

Volumen   Cantidad de espacio que ocupa un objeto

litro (L) =   Un litro es un poco más que un cuarto de galón.

1 litro = 1000 mililitros (mL)

Masa   Cantidad de materia que tiene un objeto

gramo (g)   El gramo tiene una masa más o menos igual a la de una presilla para papel.

1000 gramos = kilogramo (kg)

Temperatura   Medida de calor o frío

grados   0°C = punto de congelación del agua

Celsio (°C)   100°C = punto de ebullición del agua

Equivalencias métricas inglesas

2.54 centímetros (cm) = 1 pulgada (in.)
1 metro (m) = 39.37 pulgadas (in.)
1 kilómetro (km) = 0.62 millas (mi)
1 litro (L) = 1.06 cuartes (qt)
250 mililitros (mL) = 1 taza (c)
1 kilogramo (kg) = 2.2 libras (lb)
28.3 gramos (g) = 1 onza (oz)
$°C = 5/9 \times (°F - 32)$

REGLA MÉTRICA

BALANZA DE TRES BRAZOS

TERMÓMETRO

CILINDRO GRADUADO

Glassware Safety
1. Whenever you see this symbol, you will know that you are working with glassware that can easily be broken. Take particular care to handle such glassware safely. And never use broken or chipped glassware.
2. Never heat glassware that is not thoroughly dry. Never pick up any glassware unless you are sure it is not hot. If it is hot, use heat-resistant gloves.
3. Always clean glassware thoroughly before putting it away.

Fire Safety
1. Whenever you see this symbol, you will know that you are working with fire. Never use any source of fire without wearing safety goggles.
2. Never heat anything—particularly chemicals—unless instructed to do so.
3. Never heat anything in a closed container.
4. Never reach across a flame.
5. Always use a clamp, tongs, or heat-resistant gloves to handle hot objects.
6. Always maintain a clean work area, particularly when using a flame.

Heat Safety
Whenever you see this symbol, you will know that you should put on heat-resistant gloves to avoid burning your hands.

Chemical Safety
1. Whenever you see this symbol, you will know that you are working with chemicals that could be hazardous.
2. Never smell any chemical directly from its container. Always use your hand to waft some of the odors from the top of the container toward your nose—and only when instructed to do so.
3. Never mix chemicals unless instructed to do so.
4. Never touch or taste any chemical unless instructed to do so.
5. Keep all lids closed when chemicals are not in use. Dispose of all chemicals as instructed by your teacher.

6. Immediately rinse with water any chemicals, particularly acids, that get on your skin and clothes. Then notify your teacher.

Eye and Face Safety
1. Whenever you see this symbol, you will know that you are performing an experiment in which you must take precautions to protect your eyes and face by wearing safety goggles.
2. When you are heating a test tube or bottle, always point it away from you and others. Chemicals can splash or boil out of a heated test tube.

Sharp Instrument Safety
1. Whenever you see this symbol, you will know that you are working with a sharp instrument.
2. Always use single-edged razors; double-edged razors are too dangerous.
3. Handle any sharp instrument with extreme care. Never cut any material toward you; always cut away from you.
4. Immediately notify your teacher if your skin is cut.

Electrical Safety
1. Whenever you see this symbol, you will know that you are using electricity in the laboratory.
2. Never use long extension cords to plug in any electrical device. Do not plug too many appliances into one socket or you may overload the socket and cause a fire.
3. Never touch an electrical appliance or outlet with wet hands.

Animal Safety
1. Whenever you see this symbol, you will know that you are working with live animals.
2. Do not cause pain, discomfort, or injury to an animal.
3. Follow your teacher's directions when handling animals. Wash your hands thoroughly after handling animals or their cages.

¡Cuidado con los recipientes de vidrio!

1. Este símbolo te indicará que estás trabajando con recipientes de vidrio que pueden romperse. Procede con mucho cuidado al manejar esos recipientes. Y nunca uses vasos rotos ni astillados.
2. Nunca pongas al calor recipientes húmedos. Nunca tomes ningún recipiente si está caliente. Si lo está, usa guantes resistentes al calor.
3. Siempre limpia bien un recipiente de vidrio antes de guardarlo.

¡Cuidado con el fuego!

1. Este símbolo te indicará que estás trabajando con fuego. Nunca uses algo que produzca llama sin ponerte gafas protectoras.
2. Nunca calientes nada a menos que te digan que lo hagas.
3. Nunca calientes nada en un recipiente cerrado.
4. Nunca extiendas el brazo por encima de una llama.
5. Usa siempre una grapa, pinzas o guantes resistentes al calor para manipular algo caliente.
6. Procura tener un área de trabajo vacía y limpia, especialmente si estás usando una llama.

¡Cuidado con el calor!

Este símbolo te indicará que debes ponerte guantes resistentes al calor para no quemarte las manos.

¡Cuidado con los productos químicos!

1. Este símbolo te indicará que vas a trabajar con productos químicos que pueden ser peligrosos.
2. Nunca huelas un producto químico directamente. Usa siempre las manos para llevar las emanaciones a la nariz y hazlo sólo si te lo dicen.
3. Nunca mezcles productos químicos a menos que te lo indiquen.
4. Nunca toques ni pruebes ningún producto químico a menos que te lo indiquen.
5. Mantén todas las tapas de los productos químicos cerradas cuando no los uses. Deséchalos según te lo indiquen.

6. Enjuaga con agua cualquier producto químico, en especial un ácido. Si se pone en contacto con tu piel o tus ropas, comunícaselo a tu profesor(a).

¡Cuidado con los ojos y la cara!

1. Este símbolo te indicará que estás haciendo un experimento en el que debes protegerte los ojos y la cara con gafas protectoras.
2. Cuando estés calentando un tubo de ensayo, pon la boca en dirección contraria a los demás. Los productos químicos pueden salpicar o derramarse de un tubo de ensayo caliente.

¡Cuidado con los instrumentos afilados!

1. Este símbolo te indicará que vas a trabajar con un instrumento afilado.
2. Usa siempre hojas de afeitar de un solo filo. Las hojas de doble filo son muy peligrosas.
3. Maneja un instrumento afilado con sumo cuidado. Nunca cortes nada hacia ti sino en dirección contraria.
4. Notifica inmediatamente a tu profesor(a) si te cortas.

¡Cuidado con la electricidad!

1. Este símbolo te indicará que vas a usar electricidad en el laboratorio.
2. Nunca uses cables de prolongación para enchufar un aparato eléctrico. No enchufes muchos aparatos en un enchufe porque puedes recargarlo y provocar un incendio.
3. Nunca toques un aparato eléctrico o un enchufe con las manos húmedas.

¡Cuidado con los animales!

1. Este símbolo, te indicará que vas a trabajar con animales vivos.
2. No causes dolor, molestias o heridas a ningun animal.
3. Sigue las instrucciones de tu profesor(a) al tratar a los animales. Lávate bien las manos después de tocar los animales o sus jaulas.

One of the first things a scientist learns is that working in the laboratory can be an exciting experience. But the laboratory can also be quite dangerous if proper safety rules are not followed at all times. To prepare yourself for a safe year in the laboratory, read over the following safety rules. Then read them a second time. Make sure you understand each rule. If you do not, ask your teacher to explain any rules you are unsure of.

Dress Code

1. Many materials in the laboratory can cause eye injury. To protect yourself from possible injury, wear safety goggles whenever you are working with chemicals, burners, or any substance that might get into your eyes. Never wear contact lenses in the laboratory.

2. Wear a laboratory apron or coat whenever you are working with chemicals or heated substances.

3. Tie back long hair to keep it away from any chemicals, burners and candles, or other laboratory equipment.

4. Remove or tie back any article of clothing or jewelry that can hang down and touch chemicals and flames.

General Safety Rules

5. Read all directions for an experiment several times. Follow the directions exactly as they are written. If you are in doubt about any part of the experiment, ask your teacher for assistance.

6. Never perform activities that are not authorized by your teacher. Obtain permission before "experimenting" on your own.

7. Never handle any equipment unless you have specific permission.

8. Take extreme care not to spill any material in the laboratory. If a spill occurs, immediately ask your teacher about the proper cleanup procedure. Never simply pour chemicals or other substances into the sink or trash container.

9. Never eat in the laboratory.

10. Wash your hands before and after each experiment.

First Aid

11. Immediately report all accidents, no matter how minor, to your teacher.

12. Learn what to do in case of specific accidents, such as getting acid in your eyes or on your skin. (Rinse acids from your body with lots of water.)

13. Become aware of the location of the first-aid kit. But your teacher should administer any required first aid due to injury. Or your teacher may send you to the school nurse or call a physician.

14. Know where and how to report an accident or fire. Find out the location of the fire extinguisher, phone, and fire alarm. Keep a list of important phone numbers—such as the fire department and the school nurse—near the phone. Immediately report any fires to your teacher.

Heating and Fire Safety

15. Again, never use a heat source, such as a candle or burner, without wearing safety goggles.

16. Never heat a chemical you are not instructed to heat. A chemical that is harmless when cool may be dangerous when heated.

17. Maintain a clean work area and keep all materials away from flames.

18. Never reach across a flame.

19. Make sure you know how to light a Bunsen burner. (Your teacher will demonstrate the proper procedure for lighting a burner.) If the flame leaps out of a burner toward you, immediately turn off the gas. Do not touch the burner. It may be hot. And never leave a lighted burner unattended!

20. When heating a test tube or bottle, always point it away from you and others. Chemicals can splash or boil out of a heated test tube.

21. Never heat a liquid in a closed container. The expanding gases produced may blow the container apart, injuring you or others.

Apéndice C

Una de las primeras cosas que aprende un científico es que trabajar en el laboratorio es muy interesante. Pero el laboratorio puede ser un lugar muy peligroso si no se respetan las reglas de seguridad apropiadas. Para prepararte para trabajar sin riesgos en el laboratorio, lee las siguientes reglas una y otra vez. Debes comprender muy bien cada regla. Pídele a tu profesor(a) que te explique si no entiendes algo.

Vestimenta adecuada

1. Muchos materiales del laboratorio pueden ser dañinos para la vista. Como precaución, usa gafas protectoras siempre que trabajes con productos químicos, mecheros o una sustancia que pueda entrarte en los ojos. Nunca uses lentes de contacto en el laboratorio.

2. Usa un delantal o guardapolvo siempre que trabajes con productos químicos o con algo caliente.

3. Si tienes pelo largo, átatelo para que no roce productos químicos, mecheros, velas u otro equipo del laboratorio.

4. No debes llevar ropa o alhajas que cuelguen y puedan entrar en contacto con productos químicos o con el fuego.

Normas generales de precaución

5. Lee todas las instrucciones de un experimento varias veces. Síguelas al pie de la letra. Si tienes alguna duda, pregúntale a tu profesor(a).

6. Nunca hagas nada sin autorización de tu profesor(a). Pide permiso antes de "experimentar" por tu cuenta.

7. Nunca intentes usar un equipo si no te han dado permiso para hacerlo.

8. Ten mucho cuidado de no derramar nada en el laboratorio. Si algo se derrama, pregunta inmediatamente a tu profesor(a) cómo hacer para limpiarlo.

9. Nunca comas en el laboratorio.

10. Lávate las manos antes y después de cada experimento.

Primeros auxilios

11. Por menos importante que parezca un accidente, informa inmediatamente a tu profesor(a) si ocurre algo.

12. Aprende qué debes hacer en caso de ciertos accidentes, como si te cae ácido en la piel o te entra en los ojos. (Enjuágate con muchísima agua.)

13. Debes saber dónde está el botiquín de primeros auxilios. Pero es tu profesor(a) quien debe encargarse de dar primeros auxilios. Puede que él o ella te envíe a la enfermería o llame a un médico.

14. Debes saber dónde llamar si hay un accidente o un incendio. Averigua dónde está el extinguidor, el teléfono y la alarma de incendios. Debe haber una lista de teléfonos importantes— como los bomberos y la enfermería—cerca del teléfono. Avisa inmediatamente a tu profesor(a) si se produce un incendio.

Precauciones con el calor y con el fuego

15. Nunca te acerques a una fuente de calor, como un mechero o una vela sin ponerte las gafas protectoras.

16. Nunca calientes ningún producto químico si no te lo indican. Un producto inofensivo cuando está frío puede ser peligroso si está caliente.

17. Tu área de trabajo debe estar limpia y todos los materiales alejados del fuego.

18. Nunca extiendas el brazo por encima de una llama.

19. Debes saber bien cómo encender un mechero Bunsen. (Tu profesor(a) te indicará el procedimiento apropiado.) Si la llama salta del mechero, apaga el gas inmediatamente. No toques el mechero. ¡Nunca dejes un mechero encendido sin nadie al lado!

20. Cuando calientes un tubo de ensayo, apúntalo en dirección contraria. Los productos químicos pueden salpicar o derramarse al hervir.

21. Nunca calientes un líquido en un recipiente cerrado. Los gases que se producen pueden hacer que el recipiente explote y te lastime a ti y a tus compañeros.

22. Before picking up a container that has been heated, first hold the back of your hand near it. If you can feel the heat on the back of your hand, the container may be too hot to handle. Use a clamp or tongs when handling hot containers.

Using Chemicals Safely

23. Never mix chemicals for the "fun of it." You might produce a dangerous, possibly explosive substance.

24. Never touch, taste, or smell a chemical unless you are instructed by your teacher to do so. Many chemicals are poisonous. If you are instructed to note the fumes in an experiment, gently wave your hand over the opening of a container and direct the fumes toward your nose. Do not inhale the fumes directly from the container.

25. Use only those chemicals needed in the activity. Keep all lids closed when a chemical is not being used. Notify your teacher whenever chemicals are spilled.

26. Dispose of all chemicals as instructed by your teacher. To avoid contamination, never return chemicals to their original containers.

27. Be extra careful when working with acids or bases. Pour such chemicals over the sink, not over your workbench.

28. When diluting an acid, pour the acid into water. Never pour water into an acid.

29. Immediately rinse with water any acids that get on your skin or clothing. Then notify your teacher of any acid spill.

Using Glassware Safely

30. Never force glass tubing into a rubber stopper. A turning motion and lubricant will be helpful when inserting glass tubing into rubber stoppers or rubber tubing. Your teacher will demonstrate the proper way to insert glass tubing.

31. Never heat glassware that is not thoroughly dry. Use a wire screen to protect glassware from any flame.

32. Keep in mind that hot glassware will not appear hot. Never pick up glassware without first checking to see if it is hot. See #22.

33. If you are instructed to cut glass tubing, fire-polish the ends immediately to remove sharp edges.

34. Never use broken or chipped glassware. If glassware breaks, notify your teacher and dispose of the glassware in the proper trash container.

35. Never eat or drink from laboratory glassware. Thoroughly clean glassware before putting it away.

Using Sharp Instruments

36. Handle scalpels or razor blades with extreme care. Never cut material toward you; cut away from you.

37. Immediately notify your teacher if you cut your skin when working in the laboratory.

Animal Safety

38. No experiments that will cause pain, discomfort, or harm to mammals, birds, reptiles, fishes, and amphibians should be done in the classroom or at home.

39. Animals should be handled only if necessary. If an animal is excited or frightened, pregnant, feeding, or with its young, special handling is required.

40. Your teacher will instruct you as to how to handle each animal species that may be brought into the classroom.

41. Clean your hands thoroughly after handling animals or the cage containing animals.

End-of-Experiment Rules

42. After an experiment has been completed, clean up your work area and return all equipment to its proper place.

43. Wash your hands after every experiment.

44. Turn off all burners before leaving the laboratory. Check that the gas line leading to the burner is off as well.

22. Antes de tomar un recipiente que se ha calentado, acerca primero el dorso de tu mano. Si puedes sentir el calor, el recipiente está todavía caliente. Usa una grapa o pinzas cuando trabajes con recipientes calientes.

Precauciones en el uso de productos químicos

23. Nunca mezcles productos químicos para "divertirte." Puede que produzcas una sustancia peligrosa tal como un explosivo.

24. Nunca toques, pruebes o huelas un producto químico si no te indican que lo hagas. Muchos de estos productos son venenosos. Si te indican que observes las emanaciones, llévalas hacia la nariz con las manos. No las aspires directamente del recipiente.

25. Usa sólo los productos necesarios para esa actividad. Todos los envases deben estar cerrados si no están en uso. Informa a tu profesor(a) si se produce algún derrame.

26. Desecha todos los productos químicos según te lo indique tu profesor(a). Para evitar la contaminación, nunca los vuelvas a poner en su envase original.

27. Ten mucho cuidado cuando trabajes con ácidos o bases. Viértelos en la pila, no sobre tu mesa.

28. Cuando diluyas un ácido, viértelo en el agua. Nunca viertas agua en el ácido.

29. Enjuágate inmediatamente la piel o la ropa con agua si te cae ácido. Notifica a tu profesor(a).

Precauciones con el uso de vidrio

30. Para insertar vidrio en tapones o tubos de goma, deberás usar un movimiento de rotación y un lubricante. No lo fuerces. Tu profesor(a) te indicará cómo hacerlo.

31. No calientes recipientes de vidrio que no estén secos. Usa una pantalla para proteger el vidrio de la llama.

32. Recuerda que el vidrio caliente no parece estarlo. Nunca tomes nada de vidrio sin controlarlo antes. Véase # 22.

33. Cuando cortes un tubo de vidrio, lima las puntas inmediatamente para alisarlas.

34. Nunca uses recipientes rotos ni astillados. Si algo de vidrio se rompe, notifícalo inmediatamente y desecha el recipiente en el lugar adecuado.

35. Nunca comas ni bebas de un recipiente de vidrio del laboratorio. Limpia los recipientes bien antes de guardarlos.

Uso de instrumentos afilados

36. Maneja los bisturíes o las hojas de afeitar con sumo cuidado. Nunca cortes nada hacia ti sino en dirección contraria.

37. Notifica inmediatamente a tu profesor(a) si te cortas.

Precauciones con los animales

38. No debe realizarse ningún experimento que cause ni dolor, ni incomodidad, ni daño a los animales en la escuela o en la casa.

39. Debes tocar a los animales sólo si es necesario. Si un animal está nervioso o asustado, preñado, amamantando o con su cría, se requiere cuidado especial.

40. Tu profesor(a) te indicará cómo proceder con cada especie animal que se traiga a la clase.

41. Lávate bien las manos después de tocar los animales o sus jaulas.

Al concluir un experimento

42. Después de terminar un experimento limpia tu área de trabajo y guarda el equipo en el lugar apropiado.

43. Lávate las manos después de cada experimento.

44. Apaga todos los mecheros antes de irte del laboratorio. Verifica que la línea general esté también apagada.

The microscope is an essential tool in the study of life science. It enables you to see things that are too small to be seen with the unaided eye. It also allows you to look more closely at the fine details of larger things.

The microscope you will use in your science class is probably similar to the one illustrated on the following page. This is a compound microscope. It is called compound because it has more than one lens. A simple microscope would contain only one lens. The lenses of the compound microscope are the parts that magnify the object being viewed.

Typically, a compound microscope has one lens in the eyepiece, the part you look through. The eyepiece lens usually has a magnification power of 10X. That is, if you were to look through the eyepiece alone, the object you were viewing would appear 10 times larger than it is.

The compound microscope may contain one or two other lenses. These two lenses are called the low- and high-power objective lenses. The low-power objective lens usually has a magnification of 10X. The high-power objective lens usually has a magnification of 40X. To figure out what the total magnification of your microscope is when using the eyepiece and an objective lens, multiply the powers of the lenses you are using. For example, eyepiece magnification (10X) multiplied by low-power objective lens magnification (10X) = 100X total magnification. What is the total magnification of your microscope using the eyepiece and the high-power objective lens?

To use the microscope properly, it is important to learn the name of each part, its function, and its location on your microscope. Keep the following procedures in mind when using the microscope:

1. Always carry the microscope with both hands. One hand should grasp the arm, and the other should support the base.

2. Place the microscope on the table with the arm toward you. The stage should be facing a light source.

3. Raise the body tube by turning the coarse adjustment knob.

4. Revolve the nosepiece so that the low-power objective lens (10X) is directly in line with the body tube. Click it into place. The low-power lens should be directly over the opening in the stage.

5. While looking through the eyepiece, adjust the diaphragm and the mirror so that the greatest amount of light is coming through the opening in the stage.

6. Place the slide to be viewed on the stage. Center the specimen to be viewed over the hole in the stage. Use the stage clips to hold the slide in position.

7. Look at the microscope from the side rather than through the eyepiece. In this way, you can watch as you use the coarse adjustment knob to lower the body tube until the low-power objective almost touches the slide. Do this slowly so you do not break the slide or damage the lens.

8. Now, looking through the eyepiece, observe the specimen. Use the coarse adjustment knob to raise the body tube, thus raising the low-power objective away from the slide. Continue to raise the body tube until the specimen comes into focus.

9. When viewing a specimen, be sure to keep both eyes open. Though this may seem strange at first, it is really much easier on your eyes. Keeping one eye closed may create a strain, and you might get a headache. Also, if you keep both eyes open, it is easier to draw diagrams of what you are observing. In this way, you do not have to turn your head away from the microscope as you draw.

10. To switch to the high-power objective lens (40X), look at the microscope from the side. Now, revolve the nosepiece so that the high-power objective lens clicks into place. Make sure the lens does not hit the slide.

Apéndice D

El microscopio es un instrumento esencial en las ciencias de la vida. Con él puedes ver cosas que no se pueden ver a simple vista. También te ayuda a observar los detalles de las cosas más grandes.

El microscopio que vas a usar en la clase de ciencias es probablemente similar al que se ve en la página siguiente. Es un microscopio compuesto. Se llama así porque tiene más de una lente. Un microscopio simple tiene sólo una. Las lentes son las partes que magnifican las cosas que se miran.

Un microscopio compuesto tiene generalmente una lente en el ocular, la parte por donde miras. Comúnmente esta lente tiene un poder de magnificación de 10×. Es decir que, si sólo usaras el ocular, verías el objeto aumentado 10 veces.

El microscopio compuesto puede tener una o dos lentes más. Son las lentes objetivo de gran y de baja potencia. La de baja potencia tiene generalmente un aumento de 10×. El aumento de la lente de gran potencia es de 40×. Para calcular cuál es el poder total de magnificación del microscopio cuando usas el ocular y el objetivo a la vez, multiplica la potencia de las lentes que estás usando. Por ejemplo, la magnificación del ocular (10×), multiplicada por la de la lente objetivo de baja potencia (10×) = 100 × de magnificación. ¿Cuál será el aumento total del microscopio si usas la lente ocular y la lente objetivo de gran potencia?

Para usar bien el microscopio, es importante saber el nombre de cada parte, su función y su posición. Cuando uses el microscopio, recuerda lo siguiente.

1. Siempre lleva el microscopio con las dos manos. Soporta la base con una y el brazo con la otra.

2. Coloca el microscopio sobre la mesa. El brazo debe estar frente a ti y la platina debe estar frente a la luz.

3. Usando el tornillo de ajuste inicial, eleva el tubo.

4. Haz rotar el portaobjetivos, para que la lente de baja potencia (10×) quede alineada con el tubo. Ajústalo en la posición adecuada. La lente debe estar sobre la abertura de la platina.

5. Mientras miras por el ocular, ajusta el diafragma y el espejo para que pase la mayor luz posible por la abertura de la platina.

6. Coloca el portaobjetos sobre la platina. Lo que vas a observar debe estar directamente sobre la abertura. Sujeta la placa con los enganches.

7. Mira el microscopio de costado. Así podrás ver, al dar vuelta el ajuste inicial para bajar el tubo, que la lente de menor poder llega casi hasta el portaobjetos. Haz esto lentamente y con cuidado para que no se rompa el portaobjetos ni se dañe la lente.

8. Mira por el ocular y observa la muestra. Usa el ajuste inicial para elevar el tubo hasta que la muestra quede bien enfocada.

9. Manten los dos ojos abiertos cuando mires una muestra. Hay dos razones para esto: si cierras un ojo, puedes esforzar la vista y terminar con un dolor de cabeza. Si mantienes los dos ojos abiertos es más fácil dibujar lo que observas porque no necesitas dejar el microscopio para hacerlo.

10. Mira el microscopio de costado para observar usando la lente objetivo más potente (40×). Haz rotar el portaobjetivos para que la lente quede en posición. Asegúrate de que la lente no toque el portaobjetos.

11. Looking through the eyepiece, use only the fine adjustment knob to bring the specimen into focus. Why should you not use the coarse adjustment knob with the high-power objective?

12. Clean the microscope stage and lens when you are finished. To clean the lenses, use lens paper only. Other types of paper may scratch the lenses.

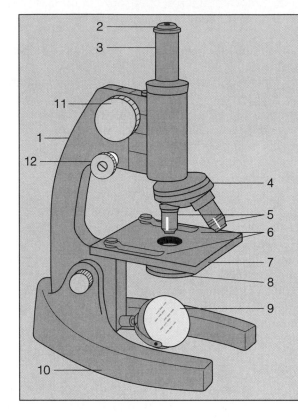

Microscope Parts and Their Functions

1. **Arm**   Supports the body tube
2. **Eyepiece**   Contains the magnifying lens you look through
3. **Body tube**   Maintains the proper distance between the eyepiece and the objective lenses
4. **Nosepiece**   Holds the high- and the low-power objective lenses and can be rotated to change magnification
5. **Objective lenses**   A low-power lens, which usually provides 10X magnification, and a high-power lens, which usually provides 40X magnification
6. **Stage clips**   Hold the slide in place
7. **Stage**   Supports the slide being viewed
8. **Diaphragm**   Regulates the amount of light let into the body tube
9. **Mirror**   Reflects the light upward through the diaphragm, the specimen, and the lenses
10. **Base**   Supports the microscope
11. **Coarse adjustment knob**   Moves the body tube up and down for focusing
12. **Fine adjustment knob**   Moves the body tube slightly to sharpen the image

11. Mirando a través del ocular, usa sólo el enfoque preciso para enfocar la muestra. ¿Por qué no se usará el ajuste inicial con la lente de más poder?

12. Cuando termines, limpia la platina y las lentes. Para limpiar las lentes y evitar que se rayen, usa sólo papel especial para lentes.

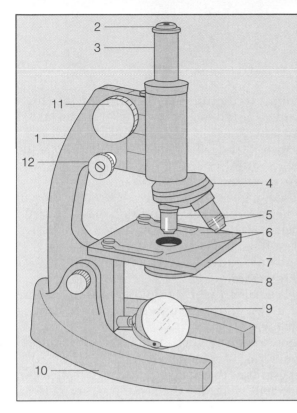

Partes del microscopio y sus funciones

1. **Brazo** Sostiene el tubo
2. **Ocular** Tiene la lente de aumento por la que miras
3. **Tubo** Mantiene la distancia adecuada entre la lente ocular y las lentes del objetivo
4. **Portaobjetivos** Contiene las lentes objetivo de gran y de baja potencia y puede rotarse para variar el aumento
5. **Lentes objetivo** Una lente de baja potencia, comúnmente con un aumento de 10×, y una lente de gran potencia, con un aumento generalmente de 40×
6. **Enganches de la platina** Mantienen el portaobjetos en posición
7. **Platina** Sirve de soporte al portaobjetos
8. **Diafragma** Regula la cantidad de luz que entra en el tubo
9. **Espejo** Refleja la luz que pasa por el diafragma, la muestra y las lentes
10. **Base** Sirve de apoyo al microscopio
11. **Ajuste inicial** Mueve el tubo hacia abajo y hacia arriba para enfocarlo
12. **Enfoque preciso** Mueve el tubo con precisión para hacer más clara la imagen

Glossary

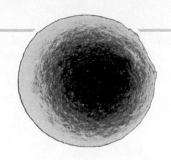

allele (uh-LEEL): each member of a gene pair that determines a specific trait

amino acids: building blocks of proteins

amniocentesis (am-nee-oh-sehn-TEE-sihs): process that involves the removal of a small amount of fluid from the sac that surrounds a developing baby; used to detect genetic disorders

chromosomes: rod-shaped structures found in the nucleus of every cell in an organism

codominant: alleles that are both expressed when both are inherited

deoxyribonucleic (dee-AHKS-ih-righ-boh-noo-KLEE-ihk) **acid:** molecule that stores and passes on genetic information from one generation to the next

DNA: deoxyribonucleic acid

dominant: trait that is expressed when two different genes for the same trait are present; "stronger" of two traits

genes: units of heredity; segments of DNA on chromosomes

genetic engineering: process in which genes, or pieces of DNA, from one organism are transferred into another organism

genetics (juh-NEHT-ihks): study of heredity, or the passing on of traits from an organism to its offspring

genotype (JEHN-uh-tighp): gene makeup of an organism

hybrid (HIGH-brihd): organism that has two different genes for a trait, or that combines traits of two different but related species

hybridization (high-brihd-ih-ZAY-shuhn): crossing of two genetically different but related species of organisms

inbreeding: crossing plants or animals that have the same or similar sets of genes, rather than different genes

incomplete dominance: condition in which neither of the two genes in a gene pair masks the other

karyotype (KAR-ee-uh-tighp): chart that shows the size, number, and shape of all the chromosomes in an organism

meiosis (migh-OH-sihs): process of cell division in which sex cells (sperm and egg) are produced

mutagens: factors, such as radiation and certain chemicals, that cause mutations

mutation: sudden change in a gene or chromosome

nondisjunction (nahn-dihs-JUHNGK-shuhn): failure of a chromosome pair to separate during meiosis

phenotype (FEE-noh-tighp): physical appearance

plasmid: ring of bacterial DNA

recessive: trait that seems to disappear when two different genes for the same trait are present; "weaker" of two traits

recombinant DNA: DNA that contains DNA from two different organisms

replication (rehp-luh-KAY-shuhn): process in which DNA molecules form exact duplicates

ribonucleic acid: nucleic acid that "reads" the genetic information carried by DNA and guides protein synthesis

RNA: ribonucleic acid

selective breeding: crossing of plants and animals that have desirable characteristics to produce offspring with those desirable characteristics

sex chromosomes: chromosomes that determine the sex of an organism; X and Y chromosomes

sex-linked traits: traits that are carried on the X chromosome

traits: physical characteristics

Glosario

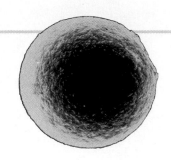

ácido desoxirribonucleico: molécula en que se almacena y se transmite la información genética de una generación a la siguiente

ácido ribonucleico: ácido nucleico que "lee" la información genética codificada en el ADN y guía la síntesis de proteínas

ADN: ácido desoxirribonucleico

ADN recombinante: molécula de ADN que contiene ADN proveniente de dos organismos distintos

alelo: cada uno de los miembros de un par de genes que determinan un rasgo específico

aminoácidos: los componentes básicos de las proteínas

amniocentesis: proceso por el cual se extrae una pequeña cantidad de líquido de la bolsa que rodea el feto en desarrollo; se usa para detectar enfermedades genéticas

ARN: ácido ribonucleico

cariotipo: diagrama que muestra el tamaño, el número y la forma de todos los cromosomas de un organismo

codominante: alelos que se expresan con igual intensidad al heredarse

cría selectiva: cruzamiento de plantas y animales con características deseables con el objeto de producir una descendencia que tenga esas características

cromosomas: estructuras en forma de bastón que se encuentran en el núcleo de cada una de las células de un organismo

cromosomas sexuales: par de cromosomas que determinan el sexo de un organismo; cromosomas X e Y

dominancia incompleta: condición en que ninguno de los genes de un par oculta completamente al otro

dominante: rasgo que se expresa cuando hay dos genes para el mismo rasgo; el más "fuerte" de los dos rasgos

endogamia: cruzamiento de plantas o animales que tienen conjuntos de genes iguales o similares

fenotipo: apariencia física

genes: unidades básicas de la herencia; segmentos de ADN de los cromosomas

genética: estudio de la herencia, o de la transmisión de los rasgos de un organismo a su descendencia

genotipo: composición genética de un organismo

hibridación: cruzamiento de dos especies de organismos genéticamente distintas, pero emparentadas

híbrido: organismo que tiene dos genes diferentes para un mismo rasgo, o en que se combinan rasgos de dos especies distintas, pero emparentadas

ingeniería genética: proceso mediante el cual se transfieren genes, o segmentos de ADN, de un organismo a otro

meiosis: proceso de división celular en que se producen células sexuales (espermatozoides y óvulos)

mutación: cambio repentino en un gene o un cromosoma

mutágenos: factores, como la radiación y algunos productos químicos, que causan mutaciones

no disyunción: falta de separación de un par de cromosomas durante la meiosis

plásmido: molécula anular de ADN que existe en las bacterias

rasgos: características físicas

rasgos ligados al sexo: características determinadas por genes que están en el cromosoma X

recesivo: rasgo que parece desaparecer cuando hay dos genes diferentes para un mismo rasgo; el más "débil" de los dos rasgos

replicación: proceso mediante el cual las moléculas de ADN generan copias idénticas

Index

Índice